新潮文庫

月の恋人

—Moon Lovers—

道尾秀介著

新潮社版

9647

月の恋人▼目次

第一章　二十七年前のなぞなぞ／二十七年間の嘘……9
第二章　眩しい世界／いちばん綺麗な花火……128
第三章　想いのはじまり／嘘の終わり……200
第四章　無情な裏切り／ＲＥＧＯＬＩＴＨ……269
第五章　哀しい別れ／寂しい祭り……318

第六章　日陰の老木／丘の一本木……369
第七章　思わぬ便り／無言の同意……403
エピローグ　再見《ツァイチエン》／さようなら……417
あとがき

月の恋人

~Moon Lovers~

第一章　二十七年前のなぞなぞ／二十七年間の嘘《うそ》

――弥生《やよい》――

「……コロモが？」

「そう、落ちたんだ」

椋森《むくもり》弥生の顔を見つめる林原翔太《はやしばらしょうた》の両目は、溢《あふ》れんばかりの喜びで輝いていた。本人曰《いわ》く、その目からは昨日の夜「コロモが落ちた」らしいのだが、考えるまでもなくそれは「ウロコ」の間違いで、しかしいまの弥生にはそんなことは些細《ささい》な問題だった。

「コロモでもいい……コロモでもいいよ翔太」

「何が？」

「何でもいい。落ちてくれたんなら、何でも」

喜びに圧《お》され、弥生はファミリーレストランのテーブル越しに翔太の手を強く握った。とにかく嬉《うれ》しかったのだ、こうして翔太が変わってくれたことが。そしてその嬉しさを嚙《か》み締めると同時に弥生は、これまで自分が、ずっとこの日を待っていたのだと知った。

「俺、あの社長みたいになるよ。絶対なる。これまでぷらぷらしてきちゃったから、いろいろアレかもしれないけど、でも頑張れば不可能じゃない。あの社長が言ってたんだ、人生はスキーといっしょなんだって」

「スキー」

「スキーが下手な人は、決まって自分の足先ばっかり見てる。だからすいすい滑れない。上手《うま》い人はずっと先を見てる。だからそこまでたどり着ける。人生だってそうなんだ。なりたい自分の姿をしっかりと見据えて進んでいくことが大切なんだ」

テレビに出ていたというナントカ社長の受け売りとはいえ、翔太の口からこんな前向きな言葉が出てきたことに弥生は感激した。じっとしていることができなくなり、テーブルの下で思わずスニーカーの両足を踏み鳴らすと、翔太がちょっと周囲を気にしてから、はにかんだ笑顔を弥生に向けた。——そう、この微笑《ほほえ》み。これに惹《ひ》かれて自分は翔太と付き合いはじめた。忘れかけていた甘酸《あまず》っぱい想《おも》いが胸に込み上げてくるのを感じながら弥生は訊《き》いた。

「それで、教材っていくらするの？」

「十五万」

「十……？」

弥生が漠然と予想していたよりもずっと高い額だった。それが顔に出たらしく、翔太の目にふっと不安の色がよぎった。

「……駄目？」

口もとは笑ったまま、頰だけが硬くなっている。

すぐには言葉を返すことができなかった。紅茶を飲んでいったん落ち着こうとしたが、いま翔太の手を放してしまうと彼が元の彼に戻ってしまうのではないかという気がした。仕方なく紅茶を我慢して手を握りつづけていると、なにやら翔太の今後の人生が自分の両手にゆだねられているのだという思いがして、弥生はにわかに緊張した。

いままでの俺は間違っていた。このままではロクな人生を送ることができない。資格を取って生まれ変わり、まっとうな人間になることを決めた。――二月にしては珍しくぽかぽかした日曜日、デートの最初の話題がそれだった。しかしいまの自分には金がない。だから弥生、なんとか資格の勉強をするための金を貸してもらえないか。

翔太が熱く語るところによると、昨夜自宅で見ていた報道番組で、どこかの大会社の社長が特集されていたらしい。その社長というのがどういう人物なのか弥生は知らないが、とにかく彼の「ものすごい人生哲学」を聞いて、翔太の目からは「コロモが落ちた」のだった。変わろうとしている翔太を応援したい。変わってくれた彼の姿が見たい。お金ぐらい、ここは黙って貸してやろう。

が、まさか資格の勉強にそんな大金が必要とは思わなかった。就職してからというもの、これまでずっと倹約生活をつづけてきたので、貯金がないわけではない。服も化粧品もあまり買わなければ、美容室も最低限の回数しか行っていない。普通の二十五歳の派遣社員よりは、おそらく金は持っているだろう。会社では正社員たちの横柄《おうへい》な指示に従い、長いこと隣の席で仕事をしているOLに「派遣さん」と呼ばれ、終日黙々とパソコンに向かって作業をするという無機的なウィークデイを過ごしながら、弥生はひたすら貯金額を増やしてきたのだ。しかし、十五万というのは、さすがに――。

「お父さんとか、お母さんは？　だって、いっしょに住んでるでしょ」

「親には相談したくないんだ。だからこうやって、お前だけに決心を打ち明けてる」

曇り日の段ボール箱に放置された仔犬《こいぬ》のように、翔太は弱々しく真《ま》っ直《す》ぐな目を向けてきた。そのとき弥生には、翔太という人間がとてもいじらしく見えた。なんとかして守ってやりたいと思った。

弥生が翔太と出会ったのは短大時代だ。テニスサークルでの飲み会というごくありふれた状況で知り合い、メール交換という極めて普通のかたちで距離を縮め、最初のメールから二ヶ月ほどで「付き合おうよ」ということになった。ときおり指折り数えてみるとびっくりするが、あれからもう七年近く経《た》つ。はじめの二年間は、「ちょっと頼りないけれど可愛《かわい》らしい彼氏」だった。弥生が短大を卒業して派遣社員として働きはじめると、学生と社会人という差も手伝って、「かなり頼りないけれど可愛らしい彼氏」になった。それからさらに二年が経ち、翔太が就職を諦《あきら》めてフリーターになることを決めたとき、「どうしようもなく頼りなくて可愛くもない彼氏」へと変わった。が、それでも付き合いをつづけているのはどうしてなのだろう。弥生はしばしば考える。情。安心感。寂しいから。——どれも違う気がして、明確な答えは浮かんでこない。しかし、いまこの瞬間、弥生はようやく答えを得ていた。

自分はこれを待っていたのだ。翔太がちゃんとしてくれるのを。

「わかった。貸す」

相手を信じるというよりも、自分自身を信じようという思いで弥生はその言葉を口にした。翔太の顔が、テーブルの向こうでくしゃりと泣き笑いになった。そう、この顔。思えばこれも好きだった。待ち合わせに遅れてきたり、弥生の誕生日を忘れたり、貸していたCDをうっかり傷つけてしまったりしたとき、翔太はいつもこの顔をした。それが本当にいつもだったので、しだいに魅力を感じなくなってしまったのだが、いまふたたび弥生は翔太の「くしゃ顔」につられて自分も微笑み、テーブルを乗り越えて抱きつきたい衝動にかられていた。

「資格とって、まともな会社に就職したら、必ず返す。すぐ返す」

「いいよ、ゆっくりで」

と母親のように大らかな気持ちで答えた自分のことが、あとになってみればひどく不可解な謎《なぞ》だった。

「玄関の電気つけっぱなしだったよ」

キッチンを兼ねた短い廊下を抜けて居間に入ると、弟の亮《りょう》は畳に腹ばいになってテレビ情報誌を読んでいた。

「あそう?」

「もったいないでしょ、何回も言ってうるさいかもしれないけど」

「姉ちゃんってケチだよな、最近言ってなかったけど」

「昨日の朝も言われたわよ」

「ああ、トースターな」

食パンを焼くとき、弥生は必ずその食パンに見合った分数《ふんすう》だけきっちりタイマーを回すのだが、亮は適当に回して途中でパンを取り出す。つまりそれから数分間、トースターは何もない庫内をせっせと温めることになる。昨日の朝もそうしていたので、電気代がもったいないと注意したのだ。

「ご飯、わかった？　冷凍庫に入ってたんだけど」

「わかった。レンジして食った」

「足りた？」

「足りねえ。だからウィンナーもレンジして食おうとしたら、ラップが溶けたから捨てた」

「あんた馬鹿《ばか》じゃないの？　そんなのにラップかけてレンジしたら油で溶けちゃうに決まってるじゃない。え、ウィンナーって冷蔵庫の？」

「ほかにねえだろ」

「それ明日のお弁当に入れようと思ってたやつじゃん。どうすんの、お弁当のおかず卵焼きとホウレン草だけだよ。――いいや、ちょっとスーパー行って買ってくる」

亮はすねたように目をそらして雑誌を捲《めく》りはじめた。

「何が食べたいの？」

「ウィンナー買いに行くんだろ」

「お腹《なか》ふくれてないんでしょ？　何かついでに買ってくるから」

「……ペヤング」

「じゃ、お湯沸かしといて。あ、いいや、帰ってから沸かす」

弥生は脱いだばかりのスニーカーに足を入れてアパートのドアを出た。

台東区谷中《やなか》にあるこのボロアパートを借りたのは、弥生が北海道から上京してきた短大時代だ。去年からは、地元の大学を出てこちらの会社に就職した弟の亮を、家賃と光熱費と食費を折半《せっぱん》するという約束でいっしょに住まわせていた。

もともとあまり金を使わないほうだった弥生が、いまのような倹約家《しまりや》になったのは、就職してからのことだ。北海道に住む両親からの仕送りがなくなり、いよいよ本当に東京での自立生活がはじまるというのに、あれだけ頑張った就職活動の末にようやく獲得できたのは派遣社員という不安定な立場だった。弥生は出勤初日から弁当を持参した。よほど体調が悪かったり朝寝坊をしてしまったときでなければ、持たずに出かけたことはない。一年前に亮と同居するようになってからは、嫌がる弟にも毎朝弁当をつくって無理やり持たせた。麦茶のパックは必ず二度使う。梅干しは種の中の「天神様」まで食べる。ご飯を食べ終えるときは、茶碗《ちゃわん》にお茶を注いで米をきれいに平らげる。真夏でも冷房はつけず、溶けそうになりながら扇風機で涼をとる。真冬も滅多に暖房をつけず、炊飯器の湯気に両手をかざして暖をとったりする。そのことで亮としばしば喧嘩《けんか》になるが、その喧嘩はいつも途中から実家での思い出話に変わる。珍しく暑かった夏の昼、三十秒交代で団扇《うちわ》で扇《あお》ぎ合ったこと。真冬の寒い日に学校から帰ってくると、洗面器にお湯を注いで手を入れてあたためたこと。仲がいいようにも悪いようにも思えるが、どちらとも言えず、要するに二人は姉と弟なのだった。

「お、弥生ちゃん」

スーパーのレジ袋を持ってアパートへ戻る途中、不意に声をかけられた。北海道料理を出す居酒屋「おんちゃん」の店主、鉄二《てつじ》だ。名字はいまだに知らない。店先から歩き寄ってきた鉄二は弥生が手にしたレジ袋をひょいと覗《のぞ》き込んだ。

「買い物？」

まずい、と思ったときにはもう中身を見られていた。

「ウィンナー、ペヤング……へえ」

「遊びに来てる親戚《しんせき》の子供が、どうしてもウィンナーとカップ焼きそば食べたいって言い出して。家にいくらでも食べるものがあるのに、やっぱり子供ってこういうのが好きなのよね」

などと弥生が妙な返答をしたのには理由がある。

「おんちゃん貯金」をおろしておんちゃんへ行き、懐《なつ》かしい北海道料理の味を楽しむことは、弥生の唯一《ゆいいつ》の息抜きだった。「おんちゃん貯金」というのは、ジャムの空き瓶を利用して弥生がつづけている小銭貯金のことだ。弥生はその小銭を月に一回ほど財布に移し替え、おんちゃんで一杯の生ビールといくつかのつまみを注文する。店の名物である巨大明太子《めんたいこ》おにぎりもよく食べる。おんちゃんは入り口脇《わき》にある券売機で食券を買い、それを渡して注文するというシステムなので、小銭ばかりで支払ってもばれなかった。

はじめに鉄二とカウンター越しに喋《しゃべ》ったとき、どこに勤めているのかと訊かれて弥生は派遣先の会社名を答えた。それが誰もが知っている巨大な建設会社だったので、鉄二はものすごく驚き、腕を組んで上体を引きながら「へえ、はあ」などと変な息を洩《も》らした。いやいや自分はべつにそこの正社員ではなく、現在たまたまそこに派遣されているだけなのだと言おうとしたが、あまりに鉄二が感心しているものだから、つい言いはぐってしまい、そういうわけで鉄二はいまでも弥生のことを高給取りのキャリアウーマンだと思い込んでいる。はじめはそれがうしろめたかった弥生だが、だんだんと気持ちよくなってきて、いまやすっかりやり手のキャリアウーマンのふりも板についていた。再開発の進んでいる品川駅前に建った大きなオフィスビルについて、あれは自分の営業努力で建設にこぎつけたのだと話したこともある。実際には、そのビルをどこの建設会社が建てているのかも知らなかったのだが。そういった作り話をしてしまうたび、弥生はいつも後悔する。しかし、

——弥生ちゃんみたいなキャリアウーマンって恰好《かっこ》いいよなあ。

などと鉄二に言われると、また調子に乗って自分を大きく見せてしまうのだった。

——いつも上司とか取引先の人には、気取ったお店にばっかり連れていかれて……

だからたまに、無性にこういうお店に来たくなるの。

ビールジョッキを見つめ、溜息《ためいき》まじりにそう言ったときのことは、いま思い出しても首もとが熱くなる。

「あーあ、日曜日終わっちゃったよ」

「まだあと一時間ちょっとあるでしょ」

「終わったようなもんだよ」

弥生は台所で洗い物をし、亮はロナウドの水槽にぽとぽとと何か落とし入れていた。

「明日からまた所長にギャアギャア言われながら働くと思うと哀《かな》しくなってくるよ」

亮は新宿にある事務用品の商社で働く、営業マン一年生なのだった。

「言われないように頑張ればいいじゃない。何入れてんのよそれ？」

「ペヤングのかやく。この肉がけっこう好きみたいでさ。何やったってギャアギャア言うんだよ、うちの所長は」

子供の頃から亮は虫が好きで、暇さえあれば雑木林に入ってバッタやクワガタやカミキリムシを捕まえ、家の虫かごで飼っていた。そのせいで弥生も虫は苦手ではないのだが、この部屋で飼われるのは嫌だった。何か飼わせてくれと頼む亮に、弥生は一年間近く首を横に振りつづけた。しかし、亮の仕事の愚痴が日に日に増えてきて、どうやらずいぶんストレスを抱え込んでいるようなので、先月とうとう一種類だけなら飼ってもいいと許可を出したのだ。そこで亮が飼いはじめたのがロナウドで、体長三センチほどのゲンゴロウだった。両脚ががっしりしているということで、サッカー選手の名前をつけたらしい。ナントカのロナウドではなくカントカのロナウドだと、亮はサッカーチームの名前を二つ言ったが、弥生は憶《おぼ》えていなかった。そのロナウドをペットショップで三千円も出して買ってきたと聞いたとき、弥生は弟が馬鹿なのではないかと本気で心配した。

「いいよな姉ちゃんは、派遣社員で。やれって言われたことだけやって、時間がきたら『おつかれさまでしたー』だもんな」

きゅ、と水を止めて手を拭《ふ》き、エプロンの紐《ひも》を背中で解《ほど》いていると、亮が首を伸ばしてこちらを覗いた。

「何よ」

「……怒んないの？」

「あんたの言うことにいちいち怒ってたら、きりがないわよ」

と答えたものの、これまでの自分ならきっと怒っていただろうと弥生は思った。しかし、いまは違う。小さなことではもう腹を立てたりはしない。何故《なぜ》なら幸せだから。長年付き合ってきた彼氏が、とうとうフリーターを卒業すると決めてくれたから。

「なんかいいことあった？」

「ないわよ何も。その雑誌見せて」

「面白い番組やってねえぞ」

「昨日のテレビ欄見るのよ」

テレビ情報誌をめくり、昨日の夜の番組表を見てみる。九時からの『サクセス・ステージ』というのが、翔太が言っていた例の番組だ。誌面に小さな字で書かれた内容は、『徹底インタビュー　レゴリスの社長が教える成功の薬』――。

「レゴリスって何の会社？」

「最近ばんばんCMやってんじゃん。まあ俺たちにはあんまし関係ねえ会社だけどな。家具屋だよ、高級家具専門の。どでかいぜ」

「どでかいんだ」

「どでかいね。あ、そういや今日、おじいちゃんから葉書きてたぞ」

亮はロナウドの水槽の脇から葉書を取り上げて弥生に渡した。

「そっか……いま種播《たねま》きだ」

葉書にはマジックで『二人とも元気か？　こっちは種播きはじまった。もうすぐフクジュソウも咲くぞ』と書かれていた。祖父の大きな字に隠れるようにして、葉書の下端に祖母の几帳面《きちょうめん》な字が並んでいる――『仕事忙しい？　いつでも遊びに来てネ』。

「これから忙しくなるんだよな、毎年」

「昔よく手伝わされたもんね」

「楽しかったけどな」

　祖父の一松《いちまつ》と祖母のテル子は富良野《ふらの》でメロンを作っている。小さな農場ではあるが、従業員を使わず二人だけで作業をこなすので、春から夏にかけては大忙しとなる。その季節に遊びに行くと、鉢上げや植え付け、夏のはじめには収穫を手伝わされたものだ。

「手伝うと、ご褒美《ほうび》に花火やらせてもらったよね、縁側で」

「火種ぎりちょん競争」

「ああ、やったやった」

　一松と弥生と亮の三人で、線香花火の火種をどれだけ落とさずにいられるかという競争を必ずやった。亮は勝ち負けにあまり頓着《とんじゃく》しなかったが、弥生は負けず嫌いだった。弥生の火種が落ちそうになると、一松は必ず自分の指先をこっそり揺らして先に火種を落とした。あるときそうやって祖父がわざと負けていることに気づき、弥生はひどく怒ったのを憶えている。

「おじいちゃんとおばあちゃんがもっと歳《とし》とったら、どうすんだろうな、あの農場」

「そんなの、ずっと先の話じゃない」

「そうだけどさ」

　弥生たちの父である宗一郎《そういちろう》は祖父母の一人息子だが、農家を継ぐことを嫌って公務員になった。札幌市にある環境保護関係の公共施設で、もう長年事務員をやっている。そこで妻の弥栄子《やえこ》と知り合ったのだ。家を出たといっても、一松が鷹揚《おうよう》な人なので、親子のあいだに確執などはなく、宗一郎は連休が来るといつも家族を連れて祖父母の家に遊びに行っていた。

「うっわ、あと四十五分で日曜日終わっちゃうじゃん」

亮が壁の時計を見てうんざりした声を洩らす。

「あたしお風呂《ふろ》入んなきゃ。あんた、そんな後ろ向きなことばっかり言ってちゃ成功しないよ」

「正社員の辛《つら》さを知らねえんだよ、姉ちゃんは」

たしかに知らない。しかし派遣社員の感じているこの不安や虚《むな》しさ、ときおり感じる悔しさだって、きっと正社員にはわからないのだ。

「寝るんなら、ゲンゴロウの蓋《ふた》、ちゃんと閉めといてよね」

タンスから着替えを取り出し、弥生は脱衣所に入ってTシャツを脱いだ。

「俺が寝てたらドライヤーかけんなよ。うるせえから」

「あんたの寝言のほうがうるさいわよ」

人に話してもなかなか信じてもらえないが、亮の寝言は異様に長い。しかも「このコピー機の新機能としましては、まず両面印刷がとても……」などと、きまって中途半端《はんぱ》なところで途切れるので、とても気になる。居間の真ん中には洗濯ロープが張られていて、そこへカーテン状の布を取りつけてあり、寝るときはその布を引いて部屋を仕切るのだが、声は遮断できないので困ったものだった。

それから十日後のこと。

「言ったじゃない何回も。三回……四回だっけ？　四回くらいは言ったわよね、少なくとも」

高い鼻をそらして自分を睨《にら》み下ろす裕美《ひろみ》の顔を、弥生はただ呆然《ぼうぜん》と見上げることしかできなかった。少なくとも？　〇回が四回になって、しかもそれが、少なくとも？

「どうするのよ。手配してなかった分、いまから発注しても、現場に着くまで三日はかかるわよ。そのあいだ工事止まっちゃうじゃないの」

さいたま市で建設中の駅ビルに、今日までに必要な建築資材があったのだが、つい先ほど現場からの連絡で、それがまだ到着していないことがわかったのだ。担当社員一同驚いて、大至急調べたところ、まったく手配されていなかったことが判明した。

そして、この最悪のミスを犯したのは、四回にもわたる裕美からの指示をすっかり忘れてしまっていた、派遣社員の弥生だった。

というこにするつもりなのだろうか、この人は。

明らかに彼女のほうが指示を出すのを忘れていたというのに。

裕美はこの二年間、ずっと弥生の向かいの席で仕事をしている正社員だ。三十代前半の独身。美人で仕事もできて、このオフィスでは唯一、弥生に対して優しい言葉をかけてくれる人だった。お疲れ様。傘は持ってきてるの？　そのカーディガン可愛いわね。弥生を「派遣さん」ではなく「椋森さん」と名字で呼んでくれたのも彼女だけだ。唯一だったのだ。本当に唯一、この人だけは自分を馬鹿《ばか》にしていないと思っていた。

「あのでも……あたし、言われた憶えが」

はっという短い吐息が弥生の言葉を遮った。裕美の整った唇が、怒りと笑いの入りまじったかたちに歪《ゆが》み、棘《とげ》そのもののような声がそこからふたたび発せられた。

「もうほんとやだ。ぜんっぜん責任感ない」

周囲の社員たちがこちらを気にしはじめている。いつも聞こえているキーボードを打つ音が、ぴたりと途切れていた。部長の井垣《いがき》が近づいてきて裕美に質問の視線を向け、彼女は手短に経緯を説明した。

「それ、まずい ぞ……かなりまずい」

「すみません、私、四回も言ったので、さすがに大丈夫だと思ったんです。申し訳ありませんでした」

頭を下げる裕美に小さく頷《うなず》き、井垣は弥生に視線を移した。性能が悪くて使えない電化製品を見るような目だった。

指示されたことをうっかり忘れてしまったという経験が、これまで弥生に一度もなかったわけではない。しかし、それを指摘されてなお思い出せないなんて、考えられなかった。指摘されればいつだって「しまった！」となるのだ。自分は絶対に指示されていない。四回どころか一回も。だが、いまはそんなことを言っている場合ではなかった。

「すぐ、これから発注かけます」

「いいわよもう、私がやるから。部長、本当に申し訳ありませんでした」

「現場には私から事情を説明しておこう。——きみ。派遣の」

井垣は弥生に呼びかけた。

「今後、社員からの指示はぜんぶメモして。きみがいま思ってるより問題はでかいよ。想像できないだろうけど」

「……すみませんでした」
立ち上がって井垣に頭を下げたとき、視界の隅で裕美の細い眉《まゆ》がひくっと上がったのがわかった。
《勉強がんばってる？》
帰りの満員電車で翔太にメールを打った。今日はバイトは休みなので、自宅で一日、例の資格の勉強をすると言っていた。弥生が金を貸した翌日、翔太は教材を購入し、
その夜からさっそく勉強をはじめたらしい。
いつまで待っても返信はなく、そのまま電車は日暮里《にっぽり》駅に停車した。アパートはこ
こから徒歩十五分ほどだ。弥生はスーツ姿の人々といっしょにドアの外へ流れ出た。
手の中で携帯が振動した。ホームに立ってディスプレイを見てみると、翔太からの
返信だった。
《やっぱり勉強おもしろい！　今日は寝るまでがんばってみるぜ》
みるぜ、の隣で筋肉の盛り上がった腕のマークがぴくぴく動いている。
不意の衝動にかられ、弥生は身体《からだ》を反転させた。
降りたばかりの京浜東北線に飛び乗ると、背後でドアが閉まった。翔太に会いたか

った。このまま電車に乗っていき、川口駅で降りれば翔太の家はすぐそこだ。迷惑だということはわかっている。勉強の邪魔になることはわかっている。しかし、どうしても顔を見たかった。そしてそれと同じくらい、落ち込んだ自分のこの顔を見てほしかった。優しい言葉をかけられたかった。

川口駅に到着するまでのおよそ十五分間、弥生は携帯にメールの文章を打ち込んでは消し、打ち込んでは消した。いまから会いにいって平気？　ちょっとだけ顔見たいんだけどいいかな？　晩ごはん一緒に食べてくれない？　浮かんでくるのはみんな相手に許可を求めるような文章ばかり。こういう女は重たいので嫌われると、いつか立ち読みした女性誌に書いてあった。しかしいまの弥生には、そういった文章しかどうしても思いつかない。

川口駅で電車を降りた。改札を出てブロック舗装の駅前広場を抜けたときも、弥生はまだメールを送れずにいた。電話をかけることはもっとできなかった。きっと暗い声しか出せない。そんな声に勉強を中断されたら、翔太は不機嫌になってしまうだろう。

駅前広場を出ると、自転車置き場の柵《さく》にもたれて大きく息をついた。ちょうど正面にパチンコ屋があり、ガラス張りの自動ドアが眩《まぶ》しく光っている。ときおりドアがひらき、あれは何というのだろう、プラスチックのケースに入ったメダルを持った客が出てくる。たくさん持っている人もいれば、少しだけの人もいた。まったく持っていない人もいる。あれを別の場所でお金に交換するのだろうが、たくさん持っている人ほど不機嫌そうな顔をしているのはどうしてなのか。しばらく観察しているうちに弥生は、それが嬉《うれ》しさを隠すための表情なのだと気づいた。逆にメダルを持たずに出てくる人は、悔しさをあらわにするのが恥ずかしくて、わざとあんなに活《い》き活《い》きとした顔をしているのに違いない。――また一人、男性客が出てきた。顔がずいぶん活き活きとしているところを見ると、きっとひどく負けたのだろう。これまで見たどの客よりも嬉しそうな顔をしているのが、いかにも見栄《みえ》っ張《ぱ》りの翔太らしくて、弥生は思わず微笑《ほほえ》んだ。

「……え」

何で翔太がいるのだ。

家で勉強しているはずの翔太が、どうしてパチンコ屋から出てきて、見慣れたグリーンのカーゴパンツに両手を突っ込んで、揚々と路地を歩いていくのだ。

弥生は一歩踏み出した。もう一歩踏み出した。そしてもう一歩――気づけば競歩の選手のように夜の路地をずんずんと突き進み、翔太の脇《わき》を抜け、相手の前に回り込んでいた。

「――勉強は？」

「あ」

「あじゃなくて勉強は？」

全身を硬直させていた翔太の顔が、急にくしゃりと泣き笑いになった。

「新しい台が入ったから、どうしても勝負したかったんだよ。ごめんよ弥生。弥生ちゃん、ごめん」

「いくら使ったの」

「三……五千円くらいかな。憶《おぼ》えてないよ。ねえ弥生ちゃん、そんな」

「三万円？」

「え」

「三万円使ったんでしょ。いま三って言ったよね、最初」

翔太の目が泳いだ。

「あたしのお金だよね」

「いや……うん？」

「どっちなの。ていうか絶対あたしのお金だよね」

くしゃ、とまた泣き笑いの顔。この顔に惹《ひ》かれた、かつての自分が許せない。

「家行って、教材見せてよ。どこまで、どんなふうに勉強したのか見せて」

弥生としては、本当に見せてもらうつもりだったのだ。確認させてもらうつもりだった。つまりこの時点では、こう考えていたのだ――じつは教材は十五万円もせず、翔太は実際にかかるよりも多い金額を弥生に言い、その差額でパチンコを楽しんでいたのだと。しかし違った。根本から。

「あのときは、ほんとにそういう気持ちだったんだよ」

翔太は顔の前でぱちんと両手を合わせ、拝むような恰好《かっこう》をした。

「ほんとに教材買うつもりだったんだ。生まれ変わるつもりだったんだ。でも、なかなかアレでさ。いままでの自分を急にアレするのが難しいっていうか」

理解するまで、しばらくかかった。

「もしかして……買ってないとか？」

「はい？」

「買ってないの？　教材」

顔の内側で目玉がふくらんだかというように、翔太の両目がぐんと大きくなった。

そのまま時間《とき》が止まった。ふ……ふ……ふ……という声が、弥生の腹の底からわき上がってきた。その声はしだいにテンポを速め……ふ……ふ……速めていき……ふ、ふ、ふ、ふふふふふ。

「ふざけんな！」

自分の両手にものすごく重たい振動が伝わったことと、翔太の身体がいきなり遠ざかったことに、一瞬弥生は関連性があるとは思えなかった。しかしそんなふうに感じたのは弥生本人だけで、通りすがりの学生も、スーツ姿の会社員も、犬を連れたおばあさんも、もちろん地面に転がって「おふっ！」と変な声を上げた翔太も、弥生が自分よりずっと背の高い相手をぶっとばしたのだということを承知していた。

書店の手提げ袋を持って弥生が帰宅したのは、それから三時間後のことだ。勢いよくドアを開けると、ロナウドの水槽を覗《のぞ》き込んでいた亮がびくりと身体ごと振り返った。

「あたし来週で会社辞めるから」

「は？」

「もうぜんぶ嫌になった。旅行する。海外旅行。美味《おい》しいもの食べて、高いもの買って、貯金ぜんぶ使い果たしてくる」

川口駅前で翔太をぶっとばしたあと、弥生はおんちゃんへ行って生ビールを一気飲みし、その勢いのまま派遣会社に電話をかけて辞意を伝えてきたのだった。

「え、生活どうすんの?」

「帰ってから考える。引き継ぎが終わって会社辞めたらすぐ行くからね。朝は一人でちゃんと起きるんだよ」

「いつまで行くんだよ」

「一週……いや二週間。もしかしたらもっと」

すべてをリセットしたかった。ぜんぶ変えたかった、何もかもぜんぶ。自分の性格も含めて。

弥生がテーブルに放り出した書店の袋には、旅行ガイドが五冊入っていた。表紙にはすべて『上海《シャンハイ》』という言葉が印刷されている。書店で海外旅行のガイドブックを片っ端からめくり、ブランド品のショップがたくさん紹介されていた上海に、弥生は行き先を決めてきたのだった。

＊＊＊

弥生の身にそんな出来事が起きてから二週間ほど後。

富山県の神通川《じんづうがわ》にほど近い町の片隅で、一人の老人が奇妙なFAXを送っていた。手にしたA4判の紙には四つの◯がマジックで描かれている。◯同士は互いにくっつきあうようにして四角く並んでおり、顔はにこにこして、なにやらとても楽しそうだ。絵の下には「上海支社オープンおめでとう！　息子ながらアッパレ！」と書かれている。その絵の上に、あまり上手ではない字で「これなーんだ？」。


四つの◯が機械の中へ消えていくのを眺めながら、葉月泰造《はづきたいぞう》は二十七年前の出来事を思っていた。息子の蓮介《れんすけ》はまだ小学二年生――泰造が経営するこの「家具の葉月」の作業場で、商品の入った段ボール箱の上に四枚の十円玉を並べて遊んでいた。商品の搬入にやってきていた若い作業員が、息子の手元を覗き込んでからかった。

――蓮介くん、お金持ちだな。

しょっちゅう作業場で遊んでいた蓮介は、店の従業員たちはもちろん、出入りの業者ともすっかり顔なじみだったのだ。

――昨日と今日のお駄賃で、四十円。

――またお父さんのお手伝いしたのか、偉いなあ。

ときおり泰造は蓮介に家具の納品を手伝わせ、そのたびに二十円のお駄賃をやっていた。ただし手伝わせるといっても、大切な商品の搬入を小学校低学年の息子にやらせるわけではない。家具を運び込むときに端のほうをちょっと支えさせたり、組み上げるときに隣でネジを持たせていたりといった程度だ。いまでこそ「家具の葉月」は開店休業の状態だが、当時は忙しかった。仕事ばかりでなかなか相手をしてやれない蓮介と、泰造はそうしてなんとかいっしょの時間を過ごそうとしていたのだ。

——蓮介くん、そのお金で何を買うんだ？

——わかんない。

——何か欲しいものはないの？

——べつにないよ、欲しいものなんて。

帳票をチェックしながら二人のやりとりを聞いていた泰造は、思わず笑って顔を上げた。

——そうやって十円玉を並べているだけで満足できるんだから、蓮介は安上がりだ。そういう奴《やつ》は将来ぜったいに幸せになる。

蓮介は普段から玩具《おもちゃ》などをあまり欲しがらず、瓶の王冠や割《わ》り箸《ばし》、廃棄家具の部品など、手近にあるものを利用して楽しく遊ぶことのできる子供だった。小学一年生のとき、テーブルの脚とゴム紐《ひも》と段ボール箱の切れ端でつくった「バズーカ」は、いまでも倉庫の奥に飾ってある。

――幸せ？

――そう、お前は幸せになる。絶対にな。

言われたことの意味がわかったような、わからないような顔で、蓮介はまた十円玉をいじりはじめた。やがて四枚を寄せ集めて四角く並べ、泰造を振り向いた。

――パパ、これなーんだ？

泰造は書類をデスクに置いて首を伸ばした。

――ん……花か？

――違うよ。

――じゃ、星か。

――ハズレ。

――わかった、車だろ。タイヤが四つあって。

――ぜんぜん違うよ。簡単でしょ、何でパパわかんないの？

――んん、降参だ。教えてくれ。

――これはね……。

――社長。

そのとき、背後から雉畑藤吾《きじはたとうご》が泰造を呼んだ。店に来ていた客に商品の値引きを頼まれ、泰造の許可をもらいにきたのだった。

——引いてあげなさい、そのくらい。うちで買ってもらえるんだから、ありがたいことだ。

—蓮介—

「社長」

背後から雉畑に呼びかけられたとき、蓮介はまったく気づかなかった。声の前にノックがあったはずなのだが、それも聞こえなかった。

つい先ほどこの社長室のFAXが吐き出した一枚の紙を、ソファーに腰を沈めてじっと見つめていたのだ。送り主は富山県で暮らす父親の泰造だった。泰造は暇を持てあましているのか、ときおり本気だか冗談だかわからないFAXを蓮介宛《あ》てに送ってくる。大半は家具の「新デザイン!」で、落書きと呼んでも構わないようなものばかりだった。送られてくるたび、蓮介はちらりと見るだけでデスクの脇《わき》にのけていたのだが、この一枚だけはどうにも気になった。

「……社長？」

ようやく呼びかけに気づき、蓮介は振り向いた。社長室の入り口に専務の雉畑が立っている。雉畑は「家具の葉月」開業当初から、泰造の右腕として店を切り盛りしていた男で、いまではこのレゴリスで蓮介の参謀役を務めていた。

「ごめん、何？」

蓮介はＦＡＸ用紙をローテーブルに伏せた。

「本社からの連絡です。トランスネットの早川《はやかわ》社長が、配送料の件で頭を下げに来ているそうで」

「詳しく」

蓮介が向かいのソファーを手で示すと、雉畑は一礼してそこに腰を下ろした。蓮介を子供の頃から知っている雉畑だが、社内での振る舞いは部下のそれに徹している。昔、「家具の葉月」で父の泰造に対してとっていた態度と、まったく変わらない。

大したものだと、蓮介はいつも思う。これはきっと、蓮介の気質を熟知した上でのことなのだろう。専務である雉畑が社長である蓮介に、たとえば敬語を使わなかったり、きみのことは赤ん坊のときから知っているよといった態度を一度でもとれば、きっと蓮介は雉畑に業務上の相談を一切しなくなる。ひょっとすると、ほかの何人もの役員たちのように、切り捨てようとさえするかもしれない。そのあたりを雉畑はよくわかっているのだ。うまく騙《だま》されているような気がしないでもないが、この態度のおかげで、これまで蓮介が素直に雉畑の経験値を頼ることができてきたのは事実だった。

「相当、せっぱ詰まっているようです」

本社からの連絡というのはこうだった。レゴリスが配送業務のすべてを委託している株式会社トランスネットの社長が、現行の配送料を値上げさせてもらえないかと頼み込んできているらしい。この不況で経営が厳しくなり、会社を立て直すため、値上げの了承というかたちでレゴリスの力添えが欲しいのだという。

トランスネットとはレゴリス開業当初からの付き合いだった。十年前、なんとか格安の配送料で協力してくれないかと、トランスネットの本社に乗り込んで社長の早川に頭を下げたときのことを、蓮介はいまでも鮮明に憶《おぼ》えている。レゴリスの資金繰りはまだ軌道に乗っていなかったが、掛け売りでの契約を蓮介は願い出た。若い蓮介の無茶ともいえるそんな嘆願を、親分肌の早川は快く受け容《い》れてくれた。

「無理だって伝えて。これまでどおりの料金でつづけられないなら、すぐにでも業者を替えるって。うちの配送は、社内での流通から納品まで、すべてを一社に委託してるんだ。どの業者でも喜んでやりたがる。トランスネットと同じ金額か、それ以下で」

「承知しました。すぐにそう返答させます」

雉畑は静かに頷《うなず》いて立ち上がった。

「あ、待った」

一礼して社長室を出ていこうとする雉畑を、蓮介は呼び止めた。少し迷ったが、先ほどローテーブルに伏せたFAX用紙を取り上げて相手に差し出した。

「雉畑さん、これ何だと思う?」

「『息子ながらアッパレ』……ああ、社長からですね」

言ってから雉畑は小声で謝った。

「お父様からですね。丸が四つ……さてさて、と」

雉畑は眉根《まゆね》を寄せ、しばらく四つの○を眺めながら紙を縦にしたり横にしたりしていたが、やがて「ああ」と懐《なつ》かしそうに目を細めた。

「なぞなぞですよ。社長が子供の頃、お父様にお出しになったやつです。たしか作業場で——」

雉畑は蓮介に、そのときのことを話してくれた。記憶力はまったく大したもので、二十七年前の出来事だというのに臨場感たっぷりだった。

「……で？」

「はい」

「けっきょく何だったの？　答え」

雉畑は半白の眉を軽く上げると、ほんの少し間を置いてから微笑した。瘦《や》せた頰に、浅い皺《しわ》がいくつもわいた。

「憶えていません」

本当だろうか。何か含むところがありそうな顔だった。会話の細かい部分まで記憶しているくせに、肝心の答えだけ忘れているなど、いかにも疑わしい。

「思い出したら教えて」

「承知しました」

雉畑が社長室を出ていくと、蓮介はＦＡＸ用紙を片手に窓辺へと向かった。窓の外には上海を東西に二分する黄浦江《こうほこう》が流れている。明るい午後の陽を受けて、まるで川そのものが発光しているように水面が輝いていた。

あと三日――。

蓮介は眩《まぶ》しい川面を睨《にら》みつけた。

三日後はこのレゴリス上海支社の、記念すべき業務開始の日だ。夜には市内の会場で大々的なオープニング記念パーティが行われる。丸二年間かけて中国への進出計画を進めてきたレゴリスだったが、いまとうとう大きなステップを上ろうとしているのだ。

上海支社が建っているこの土地は、経営の傾いた伝統家具工場「天美《ティアンメイ》家具」から買い取るかたちで手に入れていた。レゴリスが支払った金で、天美家具は従業員たちに退職金を払い、二百年近くの長い歴史を終えて消滅したのだ。現地の人々の気持ちを摑《つか》んでおいたほうがいいという雉畑のアドバイスで、蓮介は失職した家具工場の従業員たちに対して再就職説明会をひらき、郊外にあるレゴリス上海工場での再就職を斡旋《あっせん》したのだが、従業員たちは思いのほかレゴリスに強い敵対心を抱いており、大半は拒絶した。

――お前たちに俺たちの気持ちは理解できない。絶対に。

上海語でそう叫び、椅子《いす》を倒して会場を出て行った男がいた。

そう、たしかに蓮介には理解ができなかった。どうして新たな職場を与えてやるというのに、それを断るのか。どうしてわざわざ自分から苦労を買おうとするのか。

上着の内ポケットで携帯電話が鳴った。

広告宣伝部の部長、野方風見《のかたかざみ》からだった。

『蓮さん、申し訳ない。また断られた』

風見とは学生時代からの付き合いで、いまだに「風見」「蓮さん」と呼び合っている。もちろん周囲にほかの社員がいない場合に限ってだ。

「珍しく苦戦してるな」

『苦戦というか……今回は無理かもしれないよ。やっぱり彼女も、うちの会社に対して悪い印象持ってるみたいで』

蓮介が何も答えずにいると、風見は慌《あわ》てたように言い添えた。

『ああいや、もちろん諦《あきら》めないけどさ』

レゴリスの広告モデルになってくれないかと、以前から交渉をつづけている台湾人女性、リュウ・シュウメイに、風見は今日も会いに行っていたのだ。

今後の日本および上海でのプロモーション活動に向けて、レゴリスは広告用の素人《しろうと》モデルを探していた。家具のプロモーションに女性モデルを使うというのは前例のないやり方だが、他社に対抗する手段として、蓮介は徹底した「新しさ」を求めていた。モデルをプロの女優などではなく素人の中から探すというのも、その「新しさ」を世の中にアピールするためだった。テレビCMやポスターパネルの中に、誰も見たことのない美女がいれば、人は必ず興味を持つ。その上で、商品のデザインや機能をアピールする。それが蓮介の考えた方策だった。素人ならば、僅《わず》かな契約金額で仕事をはじめ、広告の効果に応じて報酬を上げていくという形式で使うことができ、コスト面でもメリットがある。

適材を発掘してレゴリスと専属契約させることを、蓮介は広告宣伝部への至上命令とした。広告宣伝部は日本および上海でそれぞれ一度ずつオーディションを行ったが、ふさわしいと思われる女性は見つからなかった。

初めて風見にシュウメイを見せられたのは一週間前、市内の貸しホールで行った再就職説明会でのことだ。広告モデルの候補を、天美家具で働いていた従業員の中に見つけたというのだから、はじめは冗談かと思った。しかし風見は大真面目《おおまじめ》だった。

——蓮さんも、見ればきっと納得する。

——相手と話はしたのか？

——いや。まずは蓮さんに見てもらおうと思って。

——どのあたりに座ってるんだ？

——教えないとわからないようじゃ、広告モデルに使っても意味ないよ。

という風見の言葉は本当だった。

説明会の会場に入り、壇上に置かれた椅子の一つに座ると、ほんの数秒で蓮介はシユウメイを見つけた。彼女は会場の右隅、近くもなければ遠くもない位置に、姿勢よく座ってこちらに顔を向けていた。

そうして腰を下ろしていてもわかるほど、すらりと上背のある女性だった。年の頃は三十前後だろうか。目に、とても力がある。視線がまったくぶれない。すぐ隣にも、やはり上背のある美人がもう一人座っていたが、美人なだけにかえってシュウメイの際立《きわだ》った美しさを引き立てているように思えた。

「彼女、新しい仕事は見つかってないんだろ?」

『まだ見つかってないらしい。うちの再就職を蹴《け》ったあと、あちこちで働き口を探してるみたいなんだけど』

「生活は楽そうか?」

『いや、そんなふうには見えなかった。天美家具の給料じゃ、ろくに貯金もできなかっただろうし』

「金で動くだろ、それ。お前いまどこにいる?」

『まだ彼女のアパートの前。さっき出てきたところだから』

「ウェルドの近くだよな」

ウェルドというのはニューヨークから出店してきている有名ケーキ店だ。

ウェルド・アジア支社の支社長と、蓮介は二年前から商談をつづけていた。それがとうとう実を結び、このたびレゴリスの上海進出にともなって、ウェルドがアジアの店舗で使用しているすべての椅子とテーブルを、レゴリス製のものに切り替えるという契約をとりつけた。契約への返礼として、三日後に行われるレゴリス上海支社のオープニングパーティでは、オリジナルデザインで注文したウェルドのケーキ千個が並ぶ予定になっている。

「そこにいてくれ。ちょうどウェルドに用もあるし、いまから行く」

――シュウメイ――

狭い部屋の隅で、シュウメイは受話器を耳にあてていた。広告モデルの件でしつこく交渉にやってきたレゴリスの野方風見を、玄関先で追い返した数分後のことだった。閉じた瞼《まぶた》の裏に、シュウメイは遠く離れた場所で同じように受話器を握っている父の顔を思い浮かべていた。

「大丈夫だよ……新しい仕事、目星はついてるから」

『そうか、そんじゃ安心だ。お前ならきっと、新しい職場でもすぐに仕事をおぼえるだろうな。お前はかしこいから』

「今月からでも、使ってもらえそうなの。すごく楽しみ」

嘘《うそ》だった。工場が閉鎖になってから、仕事はまったく見つからず、本当はアパートの家賃も危ないという状況なのだ。残っているのはもう、財布の中の金と、数年前からずっと使わずにとっておいた日本への飛行機代のみだった。

本当は、すべて打ち明けるつもりだった。しかし父の声を聞いたとたん、シュウメイの決心は急速にしぼんで消え、かわって、心配をかけたくないという思いがこみ上げて、気づけば明るい声で嘘ばかりを話していた。

『電話代がかかるだろう。こっちも仕事があるし、またこんどゆっくり話そう』

そう言われ、急に言葉が見つからなくなった。

『シュウメイ、聞こえてるか？　何だこれ、電話が……』

とんとんと、指先で受話器を叩《たた》く音がした。

「お父さん」

『おお、切れたかと思ったぞ』

「お父さん、あのね――」

そのとき、受話器の向こうで呼び鈴の音がした。父は無視したが、数秒経《た》ってもう一度聞こえてきた。父は日本語で『わかってる、ちょっと待ってくれ！』と怒鳴り、また中国語に戻って言った。

『すまんな、シュウメイ、客だ。どうせまた、うちと契約したがっている食材メーカーだろうがな。あいつらときたら、金を積んで頭さえ床にこすりつけりゃ俺が首を縦に振ると思ってる。契約ってのは、そういうもんじゃないのに』

「お父さん、すごいんだね……」

二言三言、短いやりとりをして、シュウメイは受話器を置いた。

父のハンヤンは、もう二十八年間も日本で暮らしている。香港《ホンコン》にある台湾料理店で働いていたのだが、そこで知り合った日本人に勧められ、台湾料理の専門店をひらくために妻のメイランと一歳だったシュウメイを連れて日本へ渡ったのだ。

いまでこそ父の店は大繁盛《だいはんじょう》しているが、はじめはまったく駄目だった。店はすぐに経営に行き詰まり、借金ばかりが日に日に増えていった。そのときシュウメイはまだ赤ん坊だったので、もちろんこれは自分の記憶ではない。すべては母のメイランから聞いたことだ。メイランは将来を悲観し、中国に帰ろうと何度もハンヤンを説得した。しかしハンヤンは頑として聞き入れず、最後にはメイランに離婚された。それが二十七年前のことだ。

中国に戻ったメイランは、一人で必死にシュウメイを育て上げてくれた。厳しくて優しくて、強くて弱くて、両親の役割をどちらも兼ね備えたような母だった。そしてシュウメイが大人になってからは、愉快で明るい姉だった。四年前、交通事故でメイランが死んだとき、シュウメイは何人もの家族を一度に失《な》くしたように思った。母がいつも嵌《は》めていた翡翠《ひすい》の指輪は、いまシュウメイの右手でくすんだ光を放っている。

店を抜けられないという理由でメイランの葬式に来なかったハンヤンを、シュウメイは憎んだ。しかしそれと同じくらい、父に会いたいという気持ちも胸の底でふくらんだ。母親が死んだとたん、それまであまり思い出すこともなかった父親に会いたくなるというのは身勝手だろうか。だが、身勝手なのはそもそも父のほうなのだ。

シュウメイはときおりハンヤンに電話をかけ、あるいは手紙を書き、自分の気持ちを素直に伝えた。自分に会いに来てほしいと。――シュウメイのほうから会いに行くことは、天美家具の給料ではなかなか難しいことだったし、そもそも癪《しゃく》だった。しかし、いまだにハンヤンは中国へ来てくれない。

ものごころついてから、シュウメイは二度だけハンヤンに会ったことがある。

一度目は九歳のときだった。いまは亡《な》き祖父――ハンヤンの父親に連れられて、日本へ行ったのだ。そのときにはハンヤンの店も軌道に乗りはじめていた。高級とはいえないまでも、そこそこのマンションに住み、その部屋にハンヤンは祖父とシュウメイを泊めてくれた。自分の手料理を二人に食べさせたあと、シュウメイを膝《ひざ》に乗せ、紹興酒《しょうこうしゅ》で酔っ払った父はいつまでも喋《しゃべ》っていた。何を喋っていたのかはもう思い出せないが、そのときの父の声がとても優しく、あたたかだったことはよく憶《おぼ》えている。

つぎにハンヤンに会ったのは大学時代、友人たちと日本へ観光に行ったときのことだ。一晩だけ別行動をさせてもらい、東京駅で待ち合わせた。あれは何という名前の建物だったか、駅の真正面にある大きなビルの中で、ハンヤンは豪華なイタリアンを食べさせてくれた。そのときにはもう、父は大成功をおさめていたのだ。店をチェーン展開し、都内に五つも店舗があるのだと、父はにこにこしながら語った。

——日本はいいぞ。本当にいい国だ。

音を立ててパスタをすすりながら、ハンヤンは日本のよさを思いつくかぎり並べ立てた。風景。歴史。ビジネス。電化製品。交通機関。大学を卒業して天美家具に就職してから、シュウメイが給料をやりくりしながら市内の日本語学校へ通いはじめたのは、そのときのハンヤンの熱い語り口のせいだろうか。それともその旅行で友人たちと見て回った東京や横浜の景色、あるいはディズニーランドや鎌倉の神社仏閣のせいだろうか。

──いいか、シュウメイ。金を持たない人間にだけはなるなよ。

そんなことを、ハンヤンは言っていた。

──金のない人間にゃ、誰も味方しちゃくれないからな。

食後のアイスクリームを口へ運びながら、たまには中国へ帰ってこないのかと訊《き》いてみると、ハンヤンは急にしゅんとなって視線を下げた。

──お前のことはな、シュウメイ、いつも考えている。

自分の左手首を撫《な》でながら、ハンヤンはだんだんと力が抜けていくような声で言った。その手首には、台湾の民芸品である琉璃珠《リウリジュー》の腕輪が嵌められていた。

──考えてはいるんだが、会いに行くのはなかなか……なあ。

その腕輪は、祖父に連れられてハンヤンに会いに行ったとき、九歳のシュウメイがプレゼントしたものだった。なけなしの小遣いで二つ買い、一つをハンヤンにあげたのだ。いまも、シュウメイはその腕輪を身につけているが、父はどうしただろう。

──メイランに、いまさら会うこともできんしな。

そのときハンヤンはそんなふうに言っていた。が、メイランが亡くなったいまになってもシュウメイに会いに来ようとしないのは何故《なぜ》なのか。

娘への愛情を、もう感じていないのだろうか。ときおりシュウメイはそんなふうに考える。しかし電話で聞くハンヤンの声は、自分に対する愛《いと》しさに満ちている気がする。うぬぼれでも何でもなく、素直にそう感じる。ハンヤンがどういう人なのかは、実際のところメイランから聞いて知った部分が圧倒的に多いのだが、好きなのに嫌いなふりはできても、嫌いなのに好きなふりをすることはできない人だとシュウメイは思っていた。

考えることに疲れ、シュウメイは電話機のそばを離れて床のクッションに座り込んだ。アパートの前を大きなトラックでも通ったらしく、やかましいエンジン音とともに床が揺れた。

ミンのことが、また気になった。

ローテーブルの携帯電話を取り上げ、シュウメイはリダイアルボタンを押した。もう何度もかけているミンの番号だ。――しかし今度も呼び出し音が鳴るばかりで、ミンは電話に出てくれなかった。いったいどこで何をしているのだろう。レゴリスの再就職説明会では隣に座って話を聞いていたのだが、あれからまったく連絡がつかない。アパートへも行ってみたが、ドアに鍵《かぎ》がかかっていた。

仲良しのミンと、シュウメイは少しでいいから話がしたかった。まさか金のことを相談するわけではないが、いまの自分の苦しい状況を心からわかってくれる相手は、ミン以外に思いつかなかった。

　ミンは天美家具でいっしょに働いていた同僚だ。忙しい作業をこなしながら、毎日冗談を言い合い、ときには深刻な話をしたり、されたりした。花梨《かりん》の丸太を、向こうとこっちで支え合って丸ノコで切断するとき、ミンは決まって「オリーブの首飾り」を口ずさんだ。大きな紫檀《したん》の箪笥《たんす》に表側と裏側からニスを塗っているとき、ミンは高校時代の失恋のことを話してくれた。大好きだった男の子のことを話しながら、ミンの声がだんだんと細くなっていき、しまいには洟《はな》をすする音が聞こえはじめたので、シュウメイは刷毛《はけ》を持ったまま慌《あわ》てて向こう側に回り込んだ。ミンは床に胡座《あぐら》をかいて舌を出していた。綺麗《きれい》な顔が、子供みたいに笑っていた。

　天美家具での日々を思い出すと、どうしてもまたレゴリスへの怨《うら》みがこみ上げてくる。天美家具の経営はもともと傾いていたのだから、レゴリスが理不尽なことをしたというわけではない。無理やり土地を買い取ったのではなく、むしろ天美家具のほうから買ってもらったのかもしれない。傍から見れば、きっと怨む自分たちのほうが理不尽なのだろう。せっかく斡旋《あっせん》してくれたレゴリスへの再就職も蹴《け》り、広告モデルの話も断って、こうして職探しに苦労しているのも、どれだけ馬鹿馬鹿《ばかばか》しく映るか知れない。しかし当事者の気持ちは当事者にしかわからない。レゴリスに対する歪《ゆが》んだ怨みは、ほかの従業員たち同様、これからもずっと消えないだろう。

就職活動をつづけながら、シュウメイはこれまで何人もの知人にミンのことを訊いて回った。居所を知っている者はいなかった。そして、ミンの名前を口にするとき、口の端に薄笑いを浮かべない者もいなかった。そんな表情を見るたび、シュウメイはこみ上げる怒りを堪《こら》え、彼らに短く礼を言って背中を向けた。

もう一度かけてみようと、ローテーブルに戻した携帯を取り上げたところで、着信音が鳴り響いた。ミンかもしれないと思ってディスプレイを見たが、別の同僚だった。最後まであまり好きになれなかった、二年先輩の女性だ。

「……お久しぶりです」

『ああ、シュウメイ？　ミンのことがわかったから、いちおうあんたに教えとこうと思って。知りたがってたでしょ？』

とくんと心臓が鳴り、目に映る部屋がぱっと明るくなった。

「わかったんですか？　どこにいたんです？」

『路上だよ』

「路上？」

訊き返すと、相手は市内のある場所を言った。

『夜、そこにいるのを見た奴《やつ》がいるのよ。詳しいことはあたしも知らない。とにかくそこで、その……仕事してたって』

気まずそうに、彼女は口ごもった。それ以上何も訊き出すことができないまま、電話は向こうから切られた。

数秒、シュウメイは携帯を耳にあて、平坦《へいたん》につづく不通音を聞いていた。彼女は何か知っている。知っていて、敢えて言わなかった。

漠然とした焦燥にかられてシュウメイは立ち上がり、床に転がしてあったハンドバッグを掴《つか》んで玄関のドアを出た。アパートの外階段を駆け下り、歩道に出たところで、そこに立っていた男の肩にぶつかった。

「ごめんなさい」

慌てて顔を上げると、相手は軽く笑ってシュウメイに訊《たず》ねた。

「急いでいますか?」

シュウメイは適当に会釈《えしやく》してその場を立ち去りかけ——しかし足を止めて振り向いた。知っている相手だったからだ。

再就職説明会で見たレゴリスの社長、葉月蓮介だった。背後にはドライバー付きの高級セダンが停まっている。

「三十秒でいいんだけど。広告モデルの件で」

何の違和感もおぼえない、流暢《りゅうちょう》な中国語だった。

「さっきも別の人が来ました。その話はもう何度も断っています」

なるべく冷然と聞こえるよう、シュウメイは言葉を返した。しかし相手は顔色も変えずにつづける。

「契約の内容を変えました。実際にモデルの仕事をはじめる前にあなたの生活を保証します。今日からすぐに。それでどうですか？」

自分の心が動くのが、目で見るようによくわかった。それを悟られないよう、シュウメイは視線をそらした。

「急いでますから」

「半月だけ待ちます。少しでも考えが変わったら連絡してください」

蓮介はシュウメイに名刺を差し出した。受け取るつもりはまったくなかったのに、気づけばシュウメイは片手でそれを受け取って、立ち去りながらハンドバッグに突っ込んでいた。

＊＊＊

シュウメイの後ろ姿をしばらく見送ってから、蓮介は路傍に停まっている車へと戻った。ドライバーがドアを開けると、中で隠れるように頭を引っ込めていた風見が身体《からだ》を伸ばしながら訊いた。

「どうだった?」

「落ちるだろ。あまり間を置かないほうがいいから、夜にでも電話してみろ」

「了解」

蓮介はドライバーに行き先を命じた。

「ウェルドまで。……お前、腹痛いのか?」

隣で風見が腹をさすっていた。

「そう。ゆうべ上海蟹《シャンハイがに》食い過ぎたみたいで……いて……」

高級セダンは静かなエンジン音とともに発車し、賑々《にぎにぎ》しい上海の大通りへと滑り込んだ。

―弥生―


「こんなんじゃ駄目だ……」

弥生はベッドの上にいた。胡座《あぐら》をかき、溜息《ためいき》をつきながら頭を抱えて。

「こんなんじゃ……」

上海の郊外、高台の上にあるペンション風の宿の二階だった。

豪遊してやるつもりで上海へやってきた弥生だが、これまでの自分を変えることの難しさに気づいて毎日苦悩していた。いや、じつのところ計画の段階ですでに気づいていたのだ。高いホテルを予約することがどうしてもできず、けっきょく部屋をとったのは不便な場所にあるこんな安宿だった。宿に到着してから、さあ本格的に豪遊を開始せねばと町へ繰り出し、何軒もの高級ブランドの店に入ったのだが、店員がかしこまって近づいてくると、買わされてしまうのが恐ろしくて店を出てしまう。そして気がつけば、谷中《やなか》の商店街にあるような庶民的な店で品物を物色しているのだった。

「こんなんじゃ……もうほんと……」

宿の風呂《ふろ》とトイレは共用。食事は一階の食堂に集まって女主人の手料理を食べるというシステムだった。男女数名ずつの若い中国人グループがいっしょに宿泊していたが、スピーディーに発せられる言葉はちんぷんかんぷんで、弥生はまったく仲良くできずにいた。短大で中国語の授業をとっていたので、少しは話せるつもりでいたのだが、語学の授業というのはなんと無意味なのだろう。一日目の夜、食堂の隣にある娯楽室で弥生がぼんやりとテレビを眺めていると、中国人グループの中の男二人が何か言い合ってドッと笑った。仲良くなるチャンスとばかり弥生も声を上げて笑ったら、ギョッとされた。二人の顔つきからして、どうやら猥談《わいだん》だったらしい。

「いいホテル泊まって、高いもの買って、貯金ぜんぶ使ってやるつもりで来たのに……」

宿の女主人のリーファは異様に偏屈なおばあさんで、笑ったところを一度も見たことがない。やけに目つきが悪く、いつも睨《にら》むように人を見るので弥生は苦手だった。はっきり言って料理もまずい。中国人グループもやはりリーファのことをよく思っておらず、ことあるごとに彼女の文句を言っているのが、言葉を理解できない弥生にもわかった。

「くそぉ……」

しばらくベッドの上で呻《うな》り声を上げていた弥生だが、いきなりバシンと自分の両膝《りょうひざ》を叩《たた》いて上体を起こした。

「やろう。今日からやろう。豪遊しよう」

勢いよくベッドを飛び下り、部屋の簡易金庫を開けた。封筒に入れてあった紙幣を引っ掴み、それを財布に移し替えて部屋を出ようとしたが、そのとき階下でいきなり大声が聞こえた。

恐る恐るドアを出て、階段口から覗《のぞ》いてみた。

中国人グループがみんなしてリーファに食ってかかっていた。どうやら彼女の接客態度に対して文句を言っているらしい。リーファのほうは腕を組んで仁王立ちし、何か言い返している。中国人グループはそれを聞くとさらに激昂《げきこう》し、口々に捨《す》て台詞《ぜりふ》めいた言葉を吐くと、急にこちらに向かってドカドカと階段を上がってきた。

「何これ何これ」

弥生は素早く壁に身を寄せて彼らの突進を避けた。彼らはそれぞれの部屋に入り、すぐに自分たちの荷物を持って出てきたかと思えば、また階段を下りていく。叩きつけるようにして食堂のテーブルに置いた現金は、今日までの宿泊費――なのだろうか？　彼らがそれから風のように宿の玄関を出ていったところを見ると、そうだったに違いない。

宿の中はしんと静まり返った。弥生は階段口で呆然《ぼうぜん》と立ち尽くしていたが、やがてある事実に気がついた。

「リーファさんと二人きり……」

宿泊客が、弥生だけになってしまったのだ。

リーファが階段の下からサッと顔を向けたので、弥生は忍者のように身を引いて隠れた。

部屋に戻り、ふたたび頭を抱えた。どうしよう、出かけることができなくなってしまった。階下のリーファと行き合ってしまうのが気まずい。恐ろしい。——が。

「やると言ったらやる」

弥生は数分前と同じようにバシンと膝を叩いて立ち上がり、ドアへと向かった。ただし今度は抜き足差し足だった。

一階は静まりかえっている。リーファはどこに行ったのだろう。しめたとばかり、弥生は食堂を横切って玄関へ向かおうとしたが、途中で微《かす》かな呟《つぶや》き声に気がついた。リーファの声。その呟き声の切れ目に、洟《はな》をすするような音が聞こえたので、弥生はふと立ち止まった。

息を殺し、声のしたほうへ向かってみる。食堂の脇《わき》から短い廊下が延びていて、呟き声はその途中にある部屋から聞こえていた。半開きになったドアから中を覗いてみると、中国式の仏壇が部屋の奥にあり、その前にリーファが立っていた。木製のフォトフレームに入った写真と、その手前に置かれた一枚の写真を見下ろして、何か話しかけている。とてもゆっくりとした口調だったので、弥生にもところどころ聞き取ることができた。

「ほんとに駄目だね……ぜんぶ……おじいちゃんみたいに上手にできない……」

リーファが涙を拭《ぬぐ》うような仕草をし、こちらに身体を向けた。弥生は慌《あわ》てて壁の陰に隠れた。足音が近づいてきたので弥生は身を硬くしたが、幸い彼女は弥生に気づかず、そのまま食堂のほうへと歩いていった。

そっと部屋に入った。先ほどリーファが見つめていた写真に顔を近づけてみると、フォトフレームの中にいるのは、白髪頭の痩《や》せた老人だった。この宿の台所で、フライパン片手にカメラを振り向き、優しく笑っている。もう一枚、フォトフレームの手前に置かれた写真を見ると、そこには小さな女の子と、いまよりも若いリーファが並んで写っていた。二人の前には大きなケーキが置かれ、そこに「生日快乐　姥姥！」とチョコレートで書かれている。乏しい中国語の知識をさらって、弥生はそれが「誕生日おめでとう　おばあちゃん！」だということをなんとか理解した。写真には日付が印字されていて、年は95年。月日は――。

「今日だ……」

その写真は十五年前の今日、撮られたものらしい。

しばらく、弥生はそこにいた。やがて仏壇の前を離れると、玄関には向かわず、階段を上って自分の部屋に戻った。

ベッドに胡座をかき、弥生は持参した上海の旅行ガイドをめくりはじめた。ぴたりと手を止めたのは、「ウェルド」という洒落《しゃれ》たケーキ店が掲載されているページだった。

ウェルドはニューヨークから進出してきた店で、一般的な店と比較すると値は張るが、ケーキの表面に施されたデコレーションの精巧さは他店の追随を許さず、数年前からセレブのあいだで人気急上昇中、アメリカとヨーロッパではすでに店舗数三百を超え、アジアでも五十を超えている。

「ってガイドブックに書いてあっただけあるな……」

ショーケースを兼ねたカウンターを覗き込み、弥生は思わず溜息をついた。ずらりと並んだケーキ、ケーキ、ケーキ。どれも表面には見事なデコレーションが施されている。カーヴィングされたフルーツや飴細工《あめざいく》やチョコレートで、それぞれ動物、風景、幾何学模様などが表現されていた。

さて、どれにしよう。あまり大きくないもの。せっかくデコレーションで有名な店だが、ケーキの表面はなるべくシンプルなやつがいい。

「これがいいか。あの……ダー、ラオ、イーシャー」

すみません、ぐらいは弥生にも言える。カウンターの内側にいた肥《ふと》った中国人店員が顔を上げたので、弥生は彼に選んだケーキを注文した。中国語の辞書と首っ引きで注文の仕方を予習してきたので、言葉はすんなり通じた。弥生はメモ帳を取り出して相手に見せた。宿で「生日快乐　姥姥！」と書きつけてきたのだ。

「チョコレート、プリーズ。ペイント……ん、ペイント？　ライトダウン？」

上海で中国語につまずいたときは、片言でもいいから英語で話そう――ガイドブックに書いてあった一文だ。上海の中国人は英語が好きなので、相手も英語で答えてくれるのだそうだ。実際、弥生は上海へ来てから、町中では中国語よりもむしろ英語のほうをよく使っていた。――というとなにやら国際人っぽいが。

ちょっと思案顔をしていた店員だったが、ケーキの表面にチョコレートで字を書いてほしいという弥生の要望を理解したらしく、やがて指でＯＫサインをつくってメモ帳を受け取り、調理場のほうへ引っ込んでいった。

広々とした店内には贅沢《ぜいたく》な間隔を空けてテーブルと椅子《いす》が配置されており、たくさんの人々が品よく談笑しながらケーキを食べている。白人もいれば黒人もいる。もちろんアジア人も。

店員を待つあいだ、弥生はふたたびショーケースの中を覗き込んだ。後ろに尻《しり》を突き出した恰好《かっこう》で左から右へじりじり移動していくと、一番端っこに、ものすごく可愛らしいプリンが並んでいるのを見つけた。ガラスのカップに入れられて、表面に生クリームと飴細工とフルーツで上海の風景がミニチュア的に再現されている。

弥生は顔を上げ、そばにいたウェイトレスに声をかけた。

「アイ、ウォント、ディスワン」

「Oh, thanks. How many?」

弥生は手にした財布にちらりと目をやり、「ワン……」と答えかけたが、少し迷ってから、何故《なぜ》か胸を張って言い直した。

「ツー、プリーズ」

「Thanks」

それからウェイトレスは早口の英語で何か言った。まったく聞き取れず、弥生が首を突き出すと、今度は中国語で訊《き》いてきた。弥生はふたたび首を突き出した。最後はウェイトレスはジェスチャーで、ここで食べていくのか、それとも持ち帰るのかと訊《たず》ねた。

「あ、テーク、オフ。テーク、オフ、プリーズ」

「Take off？ You sure?」

相手は微笑《ほほえ》んで訊き返す。

「イエス、テーク、オフ」

ウェイトレスが笑って何か言葉を返そうとしたとき、彼女の背後から先ほどの肥った男性店員が「ガー！」とか「プシー！」とか言いながら、両手で持ったケーキを斜めに持ち上げてみせた。弥生は彼がおかしくなったかと思ってぎょっとしたが、すぐに、その妙な口真似《くちまね》が飛行機のエンジン音で、持ち上げたケーキは飛行機が離陸するところなのだと気がついた。

「あ……テーク、アウト。テーク、アウト、プリーズ」

慌てて言い直すと、ウェイトレスは優しい笑顔で「No problem」と言い、箱にプリンを二つ入れてくれた。

「『母親の母親』でいいのか？」

だしぬけに、背後から日本語が聞こえた。

驚いて振り返ると、背の高い男が弥生を見下ろしている。

「あ、日本人……え、『母親の母親』？」

「『姥姥《ラオラオ》』って『母親の母親』だけど、おたく、わかってないんじゃないかと思って」

「え！」

弥生は慌てて先ほどの店員を呼び戻した。

「間違えた、おばあさんって書いてほしかったんだ」

「おばあさんに『おばあさん』は失礼だろ」

「あ、そうか……じゃあ名前。リーファです、リーファ」

「字は」

「字？」

そのときになって初めて弥生は、「リーファ」という字を知らないことに気がついた。彼女には口頭で名前を言われただけなのだ。困り果てて店員に顔を向けると、相手は少々苛立《いらだ》った様子で弥生を見ている。――そのとき弥生は、カウンターの端で売られていたペイント用のチョコペンに気がついた。

「ノー、ペイント。アイ、ウイル、ペイント、バイマイセルフ……？」

チョコペンを二本取り上げ、店員に言った。店員は丸い顎《あご》を引いて頷《うなず》くと、やれやれといった素振りで弥生のケーキを箱に詰め、小さな袋にチョコペンを入れてくれた。

「ありがとうございました、助かりました」

ほっと一安心し、弥生は背後の日本人を振り返った。

「でも、よくあたしが日本人だってわかりましたね。下手くそだけど中国語と英語喋《しゃべ》ってたのに。やっぱり日本人同士って見ればわかるもの――」

相手は黙って弥生の手元を顎で示す。そこには日本語で書かれた上海の地図があった。

「あ、これで。そうですよね、顔見ただけじゃ日本人かどうかなんて――」

「どいてくれるかな」

「はい？」

「急いでるから、そこどいてくれる？」

「あ、すいません……」

弥生が場所を空けると、男はカウンター越しに店員と何かやりとりをしはじめた。とんでもなく流暢《りゅうちょう》な中国語で、弥生にはまったく意味がわからない。男の言葉で店員が驚いた顔をし、奥に引っ込んだかと思うと、責任者らしい人物といっしょに戻ってきた。男は今度はその相手とやりとりをはじめる。

店員が精算を待っていることに気づき、弥生はケーキとプリンとチョコペンの代金を支払った。そのまま店を出ようとして、助けてくれた日本人にもう一度お礼を言おうと振り返ったが、店の責任者らしい人物とのやりとりは、なかなか終わらない。

「あの、ありがとうございました」

仕方なく男の背中に声をかけると、彼は顔も向けず、ぞんざいに片手を上げただけだった。

「やな感じ……」

小さく舌打ちし、弥生はケーキとチョコペンを持って店を出た。


―蓮介―


夕刻、蓮介はデスクに並べた四枚の元《げん》硬貨をじっと見つめていた。

硬貨はそれぞれがくっつき合うように、四角く並べてある。

泰造のFAXに描かれていた絵が、どうにも気になって仕方がないのだった。何故泰造は、上海支社のオープンを祝うFAXに、わざわざこんなものを描いてよこしたのか。

短く息を吐いて立ち上がった。解けない問題があるだけでも気に入らないというのに、それが昔の自分が出したなぞなぞだというのだからなおさらだ。

窓辺に立ち、黄浦江《こうほこう》を眺める。

上海支社を立ち上げる際に蓮介がこの場所を選んだのは、もちろん立地条件が業務に適していたこともあるが、この黄浦江の風景が、故郷を流れていた神通川に似ていたのも理由の一つだった。あの河原には、思い出がたくさんある。初めて釣りをしたのも神通川の川縁《かわべり》だった。初めて恋らしき経験をしたのも、初めて本当の不幸を目にしたのも、初めて大好きな人の死を目撃したのも、みんな神通川の川縁だった。

「失礼します」

ノックのあと、雉畑がドアを入ってきた。

「先ほど本社の人事部から、嶺岡《みねおか》くんの件を聞きまして」

「何か問題あった？」

「いえ、ただ……本当に彼を京浜倉庫に？」

嶺岡というのは本社で働く五十代半ばの社員で、昨日まで営業本部長だった男だ。レゴリスの立ち上げ直後から蓮介を助けてきたが、パソコンが苦手であるためここ数年で部下への指導力が低下していた。二度、蓮介は嶺岡を本社の社長室に呼んで改善を命じたが、変化は見られなかった。

昨日付けで、蓮介は嶺岡に対して横浜にある倉庫への異動辞令を出していた。プライドがあり、年齢的にもう体力のなくなっている嶺岡にとっては耐え難い異動先だろう。

要するに、首切りだ。

「あれは必要な処置だった。僕は会社を守らなきゃならない」

雉畑は無言で蓮介の顔を見つめていたが、やがて小さく頷いた。

「たしかに、そのとおりです」

ふたたび蓮介は窓に視線を移した。先ほどまで夕焼けが広がっていたはずなのに、いつのまにか灰色の雲が空を覆《おお》っている。その雲の下で、黄浦江は重たい色をしていた。

「まだ、考えてらしたんですね」

雉畑がデスクの上の元硬貨に気づいた。

「雉畑さん……ほんとに憶《おぼ》えてないの？」

「何がです？」

老ダヌキは、またとぼけてみせた。軽い苛立ちを感じて蓮介が言葉を返そうとすると、視線をそらして眉《まゆ》を上げる。

「ああ……雨ですね」

振り返ると、窓ガラスに縦長の水滴がいくつか見えた。

「雨の予報でしたか、今夜は」

「いや、予報は見なかった」

「今日降ってもらえれば、大事な三日後に降る確率は減るんでしょうかねえ」

「そういうもんじゃないでしょ」

雉畑という男は、こうした話のはぐらかしかたがとても上手《うま》い。

しばらく、蓮介は窓の向こうを見ていた。重たい色をした黄浦江は、小学校時代、夏のあの日に見た神通川の色とよく似ていた。

ときおり蓮介は考える。もしあの日、小学校から真《ま》っ直《す》ぐに帰宅していたら、いまの自分はどんな人間だっただろう。自らの非情さに対し、こんなにも無感覚だったろうか。情にほだされることに対し、これほどの拒否感を持っていただろうか。もしあの日の放課後、神通川の川縁に足を向けていなかったら。

「それは……空を飛びます」

急に、雉畑が言った。何のことだか一瞬わからなかったが、すぐに、先ほどのなぞなぞのヒントなのだと気がついた。やはり、雉畑は答えを憶えていたのだ。

「飛ぶ……？」

蓮介はデスクを振り返って四枚の元硬貨をじっと見た。飛ぶ――空を飛ぶ。

「そうか、蝶《ちょう》！」

身体《からだ》ごと雉畑に向き直った。雉畑は眉を上げて驚いたような顔をしたが、それは単に蓮介の声が大きかったためらしい。彼はゆるく笑った。

「そうですね、蝶も飛びます。でも、あのときの社長の答えは違っていた」

「蝶じゃないのか……蝶じゃなくて……」

ふたたび硬貨に目を戻し、蓮介は馬鹿馬鹿《ばかばか》しいほど真剣に考えた。四つの○。空を飛ぶもの。星でも花でも車でもなければ、蝶でもないもの。

やがて、雉畑がぽつりと言った。

「それは、甘い匂《にお》いがします」


――弥生――

急に降り出した雨の音を聞きながら、弥生は床に胡座《あぐら》をかき、ケーキにチョコペンで文字を書いていた。『生日快乐　麗華！』……。

「麗華《リーファ》」は台所の冷蔵庫に張ってあった水道料金の振込用紙を盗み見て知った。

「麗《うら》らかな、華か……素敵な名前だな」

やがて完成したリーファへのメッセージの出来栄《できば》えは、悪くないように思えた。

しかしそれがいけなかった。

「似顔絵も描いてあげるか」

調子に乗った弥生は、空いているスペースにリーファの顔を描きはじめた。まずは輪郭。髪の毛。目。鼻。口。耳。額と目尻《めじり》にシワを少々。

すべてのパーツを描き終えたときになって弥生は、自分に絵の才能がまったくないという事実をようやく思い出した。しかし時すでに遅く、完成した顔はひどいものだった。全体的にしわくちゃで、妖怪《ようかい》じみている。弥生は焦《あせ》り、どうにか顔を修正しようとふたたびチョコペンを握った。が、手を加えれば加えるほど絵は妙な具合になっていき、やがてチョコが底をついたときに出来上がっていたのは、目が少女漫画のように巨大でキラキラし、頬が異様にふくらんでお多福のようになった、怖《おそ》ろしい人物の顔だった。

「これは……怒られるかも……いや、ぜったい怒られる……」

しかし、もう決めたのだ。今日はこのバースディケーキをリーファに食べてもらうと。

「よし！」

声を上げ、弥生はケーキを持って立ち上がった。

リーファは台所で不器用にフライパンを動かしながら食事の支度をしていた。あの、と声をかけると、いつもの睨《にら》みつけるような目で振り向いた。

「あの、これ……」

恐る恐る、弥生はケーキをリーファのほうへ近づけていった。

「ハッピー・バースディ……今日《ジンティエン》？　オッケー？」

リーファは殺人鬼のような恐ろしい目で、ケーキ、弥生、ケーキ、弥生と交互に睨みつけた。一言も声を発しようとしない。冷たい空気が彼女の全身から流れ出し、弥生を凍りつかせた。身の危険を感じ、弥生は思わず一歩あと退《ずさ》った。もう一歩。そしてもう一歩。すみませんでした、と早口で謝罪して背中を向けようとしたそのとき、リーファの目が笑った。いや、目だけではない。頬が持ち上がり、口が少しひらき――やがて大きくひらき、その直後、彼女は声を上げ、身体を折って笑いはじめた。

弥生は両手でケーキを支え持ったまま、突然のことに息を止めて全身を硬直させていた。

やがて涙を拭《ふ》きながらリーファは呼吸を整え、しかしまだハアハアいいながら首を横に振った。顔を上げ、弥生に理解できるよう、ゆっくりとした中国語で言う。

「あんた、美術の授業受けたことないの？」

はいともいいえとも答えられず、弥生はただ曖昧《あいまい》に笑った。するとリーファは両手で叩《たた》くようにして顔を隠し、また吹き出した。

夜になると雨はすっかりやみ、窓の外からは雨垂れの音だけが聞こえていた。

ケーキに包丁を入れる前、リーファは弥生の「抽象画《チョウシアンファ》」を古いフィルムカメラで嬉《うれ》しそうに撮っていた。それから弥生と食堂のテーブルで向かい合い、ケーキを食べた。

ジェスチャーを交え、あるいは弥生のメモ帳に絵や字をかいて説明しながら、リーファは彼女自身について語ってくれた。

この宿を経営していたのはもともとリーファの夫で、人付き合いが極端に苦手な彼女は掃除や洗濯、買い出しを担当していたらしい。しかし数年前に夫が亡くなり、彼女がこなしていた役割を自分がこなさなければならなくなった。自分に最も向いていないこんな商売はもうやめてしまいたいと、いつも思う。思うけれど、夫が大切にしていた宿を閉めるわけにはいかないのだとリーファは言った。

バースディケーキを前にリーファと並んで写っていたのは孫で、「娘の娘《ワイスンニュイ》」。リーファの娘は結婚相手の都合で十年以上前に遠くへ引っ越し、それからというもの、会いに来ることはおろか、滅多に連絡もよこさなくなってしまったのだという。

ウェルドでの「take off」の失敗談を打ち明けると、リーファは声を上げて笑った。しかし「姥姥」の失敗談を話したら、今度は寂しそうな顔になって言った。

「そう書いてもらっても、同じくらい嬉しかっただろうね。孫はちょうど、あんたと同じくらいになってるはずだから」

あんたと同じ、のところでリーファは弥生の顔を懐《なつ》かしそうに見た。

ケーキを食べ終えると、リーファは弥生をテラスに誘った。

「ああいう雨のあとは、夜景がすごく綺麗《きれい》に見えるんだよ。雨が、空気を洗ってくれたみたいに」

二人は床板のガタつくテラスに出た。リーファの言葉は真実で、町の夜景は本当に美しく、弥生は思わず声を上げた。

夜景を眺めながら弥生は初めて、上海に来てよかったと思った。豪遊なんて、やっぱり自分には向いていなかったのだ。雨が無料で提供してくれた夜景を見るような、こういう安上がりなことが合っているのだ。ふと視線を下ろすと、小さな庭の片隅に水たまりができ、常夜灯の光をほんのりと表面に映していた。そちらも夜景に負けないくらい綺麗だった。

「……ん」

首を伸ばし、弥生は水たまりを注視した。

「へえ、あれって中国にもいるんだ……」

リーファは「？」という顔をして水たまりを覗《のぞ》き込み、「ああ、シュイミン」と弥生の知らない言葉を発音した。目で訊《たず》ね返すと、彼女は弥生のメモ帳に「水黽」と書いてくれた。

「水の亀《かめ》……じゃなくて、へえ、こんな字なんだ」

しばらくすると、リーファがダイニングに戻って紅茶を淹《い》れ直そうとしたが、買い置きの茶葉が切れていた。

「葉っぱがないわ」

「あたしはいいですよ、べつに。あんまり飲むと眠れなくなっちゃうし」

ジェスチャー交じりのやりとりも、互いにもう慣れたものだ。

「でも、明日の朝はどうしよう。紅茶しか、うちにはないんだよ。これからちょっと買いに行ってこようかね」

「じゃあ、あたしが行ってきます」

「でも」

「ちゃんとテイク・オフしてくるから大丈夫ですって」

茶葉を売っている店の場所を教えてもらい、弥生は宿の玄関を出た。

―蓮介―

仕事に一段落つけた蓮介は風見とともに小さな酒場にいた。

紹興酒《しょうこうしゅ》を飲みながら安っぽい小ぶりの上海蟹《シャンハイがに》をつまみ、テーブルの上に四枚の元硬貨を四角く並べて、まだ考えていた。風見は店の奥で遊んでいる。床に無造作に置かれた木製パチンコに屈《かが》み込み、夢中になって玉を弾《はじ》いているのだ。

「お兄さんたち、旅行？」

店の老主人が中国語で蓮介に訊《き》いた。

「いえ、商売で」

「ああ商売。何売ってんの？」

蓮介は薄汚れたカウンターテーブルを拳《こぶし》でコンコンと叩いた。

「こういうやつです」

「家具か。家具といやあ、天美家具は潰《つぶ》れちまったんだよね。かわりに気取った感じの日本の家具メーカーがビルをおったてやがったけど、日本人ってのはまったくひどいことするね、金儲《かねもう》けばっかり考えて。まあ、あんたたちはそんなふうには見えないけどさ」

蓮介は軽く頷《うなず》いて目を伏せた。

四枚のコインをふたたび見つめていると、主人が首を伸ばして覗き込んできた。

「四元じゃ、さすがにうちでも出せる酒はないよ」

「マスター……これ、何に見えます？」

「だから、四元だろう」

「そうじゃなければ？」

「〇・四ユーロ。〇・六ドル。五十円。……これでも新聞はよく読んでるんだ」

自慢顔の主人に笑いかけ、蓮介は傍らの窓に視線を移した。外からガラスに顔をくっつけるようにしていた人物と、至近距離で目が合った。ぎょっとして身を引くと、相手はぺこりと頭を下げて口をぱくぱく動かす。当たり前だが、何を言っているのかわからない。首を突き出してみせたら、相手はちょっと迷うような仕草をしてから店のドアを入ってきた。

「昼間はありがとうございました。助けていただいて」

ウェルドで会った、あの日本人女性だ。

「助けたつもりはないけど」

「教えていただいて」

「いいよべつに」

言い捨てて蓮介は前に顔を戻そうとしたが、相手が声を抑えて口を動かしたのが目の端に映ったので、また向き直った。

「やな感じ……って言った？　いま」

「言ってません」

明らかに言ったのだが、誤魔化された。彼女は数秒考えるような間を置いてからつづける。

「谷中に、って言ったんです。あたし谷中に住んでるんですけど、そこにある店に似てたので、ここが」

「あ、そう」

「蓮さんの知り合い？」

風見が彼女の顔を覗き込みながら近づいてきた。

「いや」

「はい」

二人は同時に反対の答えを返した。

「息ぴったりじゃん。あいてて……蓮さん、上海蟹食いすぎると腹壊すから気をつけな」

風見は腹を押さえながらトイレへ入っていった。

「ビール《ライイーピン》をください《ビージゥ》」

下手くそな中国語で店の主人に言いながら、彼女は勝手に蓮介の隣に座った。

「何で座るんだ？」

「だって、せっかく日本人同士じゃないですか」

いかにも気軽そうに答えたが、その表情の向こうには、慣れない海外での心細さが潜んでいた。レゴリスを興《おこ》して以来、他人の表情の裏側ばかりを探りながら生きてきた蓮介には容易に見て取れる本心だった。

それ以上何も言わず、蓮介は紹興酒のグラスを乾《ほ》した。

「椋森弥生です」

適当に頷《うなず》いて上海蟹をつまんだ。

「普通、自分も名前言いません？」

「葉月蓮介」

「葉月さんですか、よろしくお願いします。日本のどのへんなんですか？　どことなく東京っぽいけど」

「千代田区」

「働いてる場所じゃないですよ、住んでる場所です」

千代田区に住んでいるからそう言ったのだが、蓮介はおっくうになって「自宅は秘密」と答えた。すると弥生はまた先ほどと同じように口を動かした。今度はたぶん、わざと蓮介に見えるように。

「……また『谷中に』って言った？」

「『やな蟹』って言ったんです。あたし出が北海道だから、蟹は毛蟹が好きなんです」

主人が弥生の前にビールを置いた。空になった蓮介のグラスを見て、おかわりを持ってくるかどうか訊かれたので、頷いた。

「おごりましょうか？　あたし、こう見えてけっこう豪遊してるんです。助け……じゃなくて教えてもらったお礼に、一杯おごりますよ」

「いい」

「だってそんな、目の前で小銭並べられてたら、おごってあげたくもなるじゃないですか」

説明する気にもならず、蓮介は黙ってテーブルの硬貨に目を戻した。

コツコツと自分の額を叩《たた》きながら、ふたたび考えはじめる。四枚の硬貨。互いにくっつき合った四つの○。それは空を飛び、甘い匂《にお》いがして——。

「お金、それだけしかないんですか？　もしかして」

蓮介の様子を見て勘違いしたらしく、弥生が心配そうに訊いてきたが無視した。

主人が紹興酒を運んでくると、蓮介は一口だけすすってまた硬貨に目を戻した。沈黙に耐えられないタイプらしい弥生は、隣で勝手に喋《しゃべ》っていた。ついこの前まで自分は派遣社員だった。しかし頭に来ることがあって辞めた。現在は無職だが、何も心配などしてない。きっと自分に合う仕事が見つかるはずだ。ああ早く素敵な職場で働きたい。そんな話が一通り済むと、弥生はきょろきょろと店内を見回しながら呟《つぶや》いた。

「ここ、よく見るとほんとに似てるかも……」

「似てるから覗いてたって言わなかったか？」

蓮介は思わず訊き返したが、弥生は気にしなかった。

「わ、その木彫りの熊《くま》もいっしょだ」

「パンダだろ」

「あ、パンダか」

気が散ってしまい、硬貨のなぞなぞはわからなくなる一方だった。苛立《いらだ》ちがつのり、蓮介は頭を掻《か》いて呻《うめ》いた。

「ちくしょう、わかんねえ……何なんだこれ」

「え、パンダじゃないんですか?」

舌打ちし、もうどうにでもなれとばかり、蓮介は弥生の前に四枚の硬貨を滑らせた。

「はい、なぞなぞ。これは何でしょう」

答えを待たず、蓮介はまた前に向き直って自分の額をコツコツ叩いた。弥生は目の前の硬貨を見つめ、顔を横にしたり縦にしたりしている。黙らせるには、はじめからこうすればよかったのかと、蓮介は先ほどまで彼女に思う存分喋らせていたことを後悔したが――。

「アメンボ」

＊＊＊

弥生がそう呟くと、コツコツと額を叩いていた葉月蓮介の手がぴたりと止まった。

「……アメンボ？」

眉《まゆ》をひそめ、探るように訊き返してくる。

「はい。アメンボみたいに……見えますけど」

弥生の頭の中には、先ほどリーファといっしょに宿のテラスで見たアメンボの姿が浮かんでいた。脚の下の四つの水紋が、ちょうどこのテーブルに並んだ硬貨のように見えていた。

不意に、がばりと蓮介が身体《からだ》を向けた。

「アメンボって飛ぶか？」

「え、飛ぶんじゃないですか？　だって、歩いて池とか水たまりまで来ないでしょうから」

「甘い匂いがする？」

「甘い匂い？……あ、そういえば弟が昔そんなこと言ってました。甘い匂いがするって。それで図鑑見たら、飴《あめ》みたいな匂いがするからアメンボっていう名前になったって書いてあったみたいですよ」

「ふはっ！」

いきなり蓮介がテーブルを叩いたので、店主が持っていたグラスを落としそうになった。しかしそんなことにはお構いなしに、蓮介は子供のように声を上げて笑い出す。おかしくなってしまったのだろうか。

「そうだそうだ、俺そう言ったわあのとき。そうだ思い出した、アメンボに見えたんだ、神通川にいたんだ、川っぺりのおじさんといっしょに見たんだ」

「川っぺりのおじさん……？」

弥生の言葉も聞こえていないようで、蓮介はテーブルをぴしゃぴしゃ叩いたり、両足をトコトコ踏み鳴らしたり、四本の指をコインに載せてスイスイと器用にアメンボの動きを真似《まね》たりしている。トイレから出てきた彼の連れが、その様子を見て、腹を押さえたままぎょっと立ちすくんだ。

「おたく何が好き？」

蓮介は急に弥生に向き直った。

「はい？」

「好きなもの。そうか、ケーキが好きなんだよな」

「ケーキ……は好きですけど？」

三日後の夜は空いているかと蓮介は訊いた。まあ空いていると彼女が答えると、泊まっている宿の場所を訊《たず》ねられた。

「午後六時、その宿にいて」

「はい？」

「ケーキ食べさせてやる。教えてくれたお礼に」

「……はあ」


―シュウメイ―


――路上だよ。

――とにかくそこで、その……仕事してたって。

電話で教えられた場所までシュウメイは急いだ。

ミンはそこにいた。近づいてくるシュウメイに気づくと、日射《ひざ》しを片手で遮りながらちょっと照れ笑いをして、それから目を伏せた。

「あたしみたいなの、どうせどこも雇ってくれないだろうから、レゴリスの上海工場に再就職を希望したんだけどね。面接ではねられたよ」

汚れたヘルメットを被《かぶ》り、手も足も土で黒く汚しながら、ミンは路傍の工事現場でシャベルを握っていた。顔の手入れもしていないらしく、頬や顎《あご》には無精髭《ぶしょうひげ》が生えてしまっている。シュウメイはこみ上げる涙をなんとか堪《こら》えた。

「レゴリスは、何て言ったの？」

「そりゃ、はっきりとは言わないけどさ。でもあたしだって昨日今日オカマになったわけじゃないもん、わかるよ。お前みたいな気持ち悪い奴《やつ》、雇えるかって顔してた。担当のおっさん」

無理に笑ったミンの顔が、目の中で滲《にじ》んだ。

ミンはたしかに普通とは少し違う。しかし、働き者で、優しくて、頭だっていい。天美家具で働きはじめたときから、シュウメイの一番の友達だったし、相談相手だった。疲れ切ったミンのつくり笑顔を見ながら、シュウメイはレゴリスの仕打ちに腹の底が熱くなった。

訊《き》くと、ミンはいま住む家もなく、昼はこうして肉体労働をし、夜は男ばかりの宿泊施設でザコ寝しているのだという。

「それが一番辛《つら》いかな……男の中で眠るのが。でもまあ、まったく貯金してなかったあたしが悪いんだけどね」

「何で相談してくれなかったのよ」

「あんただって大変なんだもん、相談なんてできっこないよ。あたし、あんただけには嫌われたくないし」

「今日からでいいから、私のところで寝て。私だって心細くて、話したいことがいっぱいあるんだよ」

ミンは視線を外し、しばらくうつむいていたが、やがて顔を上げて頷いた。

「じゃ、やっかいになろうかな」

夕刻から雨が降り出したが、夜になるとすっかりやんだ。仕事を終えたミンはシュウメイのアパートにやってくると、にやっと笑いながら紙袋に入った紹興酒《しょうこうしゅ》の瓶を見せた。

「今日から寝るとこが見つかったって言ったら、いっしょに寝泊まりしてたおじちゃんが餞別《せんべつ》にくれた。あたしのこと好きだったのかな」

「かもしれないよ」

ローテーブルを前に、肩をくっつけ合うようにして座り、二人は紹興酒で乾杯をした。話題はやはり、天美家具での楽しかった日々だった。

「ミンが二日酔いで仕事してて、箪笥《たんす》の彫り込みの真ん中に傷つけちゃったとき、ほらチョウさんが」

「そう、チョウさんが上手《うま》く誤魔化してくれたんだよね。傷がいかにも模様っぽく見えるように彫り直してくれて。……電話」

「え」

「電話、鳴ってるよ?」

「めんどくさいからほっとく。いい報《しら》せなんて、どうせ何もこないんだから」

なんとなく、レゴリスからの連絡なのではないかという気がしていた。例の広告モデルの件で、また電話をかけてきたのではないかと。いまのミンの前では、その電話に出ることなどできなかった。呼び出し音はやがて途切れ、留守番電話に切り替わった。聞き飽きた野方風見の声が、中国語でメッセージを残すのが聞こえた。まずいな、とシュウメイはミンの顔を見た。目が合った。

「……いま、レゴリスのナントカって言ってなかった?」

誤魔化すことまではできても、嘘《うそ》をつくのは嫌だった。仕方なくシュウメイは、広告モデルの件について打ち明けた。ミンは声を上げて驚き、そして喜んだ。

「すごいじゃない、あんた。やりなさいよ！」

「やらないわよ、そんなの」

ミンにここまで酷《ひど》い仕打ちをしたレゴリスの広告モデルになるなど、いよいよシュウメイにはできないことだった。昼間、アパートの前で葉月蓮介に、今日からすぐに生活を保証すると言われたときはさすがに心が動いたが、いまやそんな言葉はシュウメイに対して何の力も持っていない。

「なんでよ、やりなさいよ。あんたはそのルックスだもの、モデルの仕事受けてさ、そのまま上手くやって、社長に近づいちゃいなよ。愛人になれるよ、あんたなら。そうなればもう、一生お金には困らないじゃないの」

そんなふうに言うミンの肩を、シュウメイは半分本気でばちんと叩いた。ミンは大げさに肩を押さえてから、屈託のない声で笑った。シュウメイのグラスに紹興酒をなみなみと注ぎ、自分のグラスにもたっぷりと新しい酒を注ぐ。

懐《なつ》かしい天美家具での思い出話をつづけながら、二人は杯を重ねた。ミンは何度もシュウメイのグラスに酒を注いでくれた。

「珍しいね、ミン。いつもは私が飲みすぎないように心配してくれるのに」

「たまにはいいじゃない、酔っ払っても。付き合ってよ」

明日は現場の工事が休みだから、二人でどこかへ出かけようと約束した。金を使わない時間の過ごし方は、もう互いにすっかり心得ている。行きたい場所を交互に言い合っているうちに、眠たくなった。

カーテンの隙間《すきま》から朝日が射し込んでいた。重たい頭を持ち上げて部屋の中を見渡してみると、ミンの姿がどこにもなかった。身体《からだ》を起こすと、ローテーブルの上、空になった紹興酒の瓶を重しにして、メモ紙が一枚置いてある。ミンの字でただ一言だけ、『対不起《ドゥイブチー》』——ごめんなさいと書かれていた。

漠然とした予感が、胸の中で冷たくふくらんだ。とくとくと心臓が鳴るのを意識しながら、シュウメイは床のハンドバッグを引き寄せた。財布は、そこに入っていた。しかし中を確認してみると、札も硬貨も、すべて消えていた。

ゆっくりと立ち上がった。誰か別の人間の身体を動かしているようだった。キッチンのシンクには、二人が使ったグラスや小皿が綺麗《きれい》に洗われ、きちんと籠《かご》に並べられている。ミンがやってくれたのだろう。ぼんやりした目を、ローテーブルの携帯電話に移した。ミンの番号にかけてみたが、ツー、ツー、と話し中の音が聞こえてくるばかりだ。着信拒否の設定にすると、かけた相手にはこの音が聞こえると、誰かに教えてもらったことがある。

気づけば、頬を涙が伝っていた。

ミンを怨《うら》みはしなかった。ただ、あんなに優しくて友達思いで、いっしょにたくさんの楽しい時間を過ごしたミンが、こんなふうに変わってしまったことが哀《かな》しかった。

部屋の電話が鳴った。ミンかもしれない。微《かす》かな期待を捕まえるように、シュウメイは素早く受話器を取った。男の声が明るいトーンの中国語を聞かせた。

『おはようございます。私、何度かお話しさせていただいた――』

レゴリスの野方風見だった。不意に込み上げた怨みと怒りが咽喉《のど》をふさぎ、シュウメイは言葉を返せなかった。黙ったままのシュウメイに、野方風見はまたしても同じ話をしはじめた。広告モデルの件。社長の葉月蓮介が言った生活の保証についても、念押しするように繰り返した。

「もう連絡しないで」

耐えきれなくなり、無理やり声を割り込ませた。面食らったように野方風見の言葉が途切れた。

『あの、天美家具の土地の件は、先日もお話ししたように――』

「二度と連絡しないで」

壊れてしまうかもしれないと思ったほど、シュウメイは勢いよく受話器を置いた。床に膝《ひざ》をついたまま、じんじんする右手で顔を覆《おお》い、その上から左手を押しつけて、声を洩《も》らして泣いた。もしミンが見たら、子供みたいな泣き方だと笑うに違いない。そんなふうに笑ってもらえたらどれほどいいだろう。

やがてシュウメイは、真っ赤になった目を上げ、部屋の隅に置かれたカラーボックスを見た。一番上の段に、ドラゴンボールのキャラクターがプリントされた筆箱が覗《のぞ》いている。九歳の頃、祖父に連れられて日本に行ったとき、琉璃珠《リウリジュー》の腕輪のお返しにハンヤンがくれたものだ。

数年前から使わずにとっておいた、日本への飛行機代が、そこには入っていた。

受話器を取り上げ、シュウメイは電話をかけた。長いコールのあとで、ハンヤンの探るような声が応答した。

「……お父さん」

『おお、なんだシュウメイか』

父に会いたかった。会って、助けて欲しかった。頼る相手が欲しかった。以前から電話で聞いていたハンヤンの裕福な暮らしぶりのことを、シュウメイは思った。

「お父さん……私に会いに来て」

『だから、それは無理だと言っただろう。仕事がいろいろと』

「それなら私が行く。もう上海にいたくない。少しでいいから、お父さんといっしょに過ごしたい。いままで言ったこと、嘘なの。仕事がないの。お金もないの」

嗚咽《おえつ》を堪えながら途切れ途切れに言うと、ハンヤンは電話の向こうで沈黙した。涙を呑《の》み込んでシュウメイが言葉をつづけようとしたとき、小さな吐息が聞こえてきた。

『じつはな、シュウメイ。お前に話していないことがあるんだ』

自分には日本人の若い妻がいるのだと、ハンヤンは言った。

『お前が来たら、彼女がいい顔をしないだろうから……』

シュウメイは思わず目を閉じていた。ハンヤンはふたたび黙り込み、自分の呼吸ばかりが耳元で聞こえた。足の下から床が消え去って、何もないところに宙ぶらりんになったような気がした。

『お前が大変なのはわかる。だけど、自分の力で生き抜いてくれ。俺だってそうしたんだ、お前にもきっとできる』

気づけばシュウメイは受話器を置いていた。琉璃珠の腕輪が、手首で小さく揺れた。

――蓮介――

『最後にはすごい勢いで電話切られたよ』

「いったい何があったんだか……いや、まだ諦《あきら》めるつもりはない」

風見からの内線電話を切り、蓮介は軽く首をひねった。シュウメイというあの台湾人女性、金で簡単に動くと踏んでいたのだが、どうやら計算違いだったらしい。

「失礼します」

雑畑が書類を持って部屋に入ってきた。業務上のやりとりを二、三したあと、蓮介は雑畑に教えてやらなければならないことがあったのを思い出した。

「コーヒー飲んでいってよ。そこ座って」

ソファーのスペースを示し、蓮介はコーヒーサーバーで二人分のコーヒーを淹《い》れた。

雑畑はあからさまに珍しげな顔をして、物音もさせずソファーに腰を下ろした。

あのなぞなぞの答えがわかったのだと言うと、雑畑は唇をすぼめて微笑《ほほえ》んだ。

「たしかにアメンボに見えるね、あのかたち」

「ご自分で、思い出されたんですか?」

少し迷ったが、蓮介は正直に答えた。

「いや、人に教えてもらった」

「そうですか。教えてもらいましたか」

どうしてか雉畑は安心したような顔をした。スーツの内ポケットから財布を抜き出し、四枚の十円玉をローテーブルに並べながら懐かしそうに言う。

「子供の頃は、水の表面に見える水紋までぜんぶあわせて、アメンボだったんですよね。脚の先が水に触れて水紋ができているんだとか、表面張力がどうしたとか、そんな難しいことは知りませんでしたし、考えもしませんでしたから。私だって、いまは四枚のコインがこうして並んでいても、アメンボになんて見えません。ただの四十円か、せいぜい花や星にしか見えない」

「見えないね」

「子供の頃の素直な気持ちが、もうどこかへ行ってしまったんでしょうね。私がもし、どこかで会社の社長をやっていたとしたら、誰もついてこないかもしれません……」

しばらく黙っていた雉畑は、急に顔を上げて目を細めた。

「でも、社長は大丈夫です」

「自分で思い出したわけじゃないよ」

「だから大丈夫だと申し上げたんです。誰かに教えてもらったことを、さっきみたいに嬉《うれ》しそうに話すことができる人なんですから、何も心配はいりません。もし私が社長なら、きっと自分で思い出したのだと言い張っていたでしょうね。答えがわかることよりも、人から答えを教えてもらったことを隠さず口にできることのほうが、よっぽど大事だと私は思います。私には、なかなかできそうもない」

ローテーブルの十円玉を、しなびた指先でもてあそびながら雉畑はつづけた。

「じつは、お父様も……あれからずっと考えてらしたんですよ。社長に答えを聞かずに」

「親父《おやじ》は、けっきょくわかったの？」

「わかりました。社長と同じように、人の助けを借りてわかったんです。そして、やはり社長と同じように、嬉しそうに私に話してくれました。アメンボだよ雉畑、アメンボだよって」

雉畑は目尻《めじり》に皺《しわ》を刻み、懐かしそうに微笑んだ。

「人の助け……か」

京浜倉庫へ動かした嶺岡のことが頭をよぎった。建築業界の営業マンとして辣腕《らつわん》を振るっていた嶺岡と知り合い、レゴリスに引き入れたのは蓮介だった。銀行との取引の手腕に長《た》けていて、当時レゴリスへの融資を断りつづけていた都市銀行の担当者と根気よく話し合い、味方につけてくれたのも嶺岡だった。翌年になってとうとうその銀行からの融資が実現し、レゴリスは店舗数を一気に増やすことができたのだ。いまのレゴリスの経営基盤をつくるのに、嶺岡の経験と営業力が不可欠だったことは紛れもない事実だった。

蓮介は雉畑の目をちらりと覗いた。

「雉畑さん……もしかしてこの展開、最初から予想してた？」

老ダヌキは驚いたような顔をする。

「まさか……私にそんな超能力はありません」

蓮介はそれ以上訊《たず》ねることをやめた。

かわりに、ふと思いついた別の質問を口にした。

「そういや、親父に教えたのって誰だったの？」

「何がです？」

「十円玉の答え。どこかの小学生？」

雉畑はゆっくりと首を横に振って答えた。

「奥様ですよ。社長の、お母様です」

コーヒーの礼を言って雉畑が部屋を出ていくと、蓮介は彼が置いていった四枚の十円玉を見つめ、長いこと黙り込んでいた。

部屋の電話が鳴ったので、ローテーブルの子機で応答した。

『社長に最後のお願いをしたく、お電話いたしました』

本社の嶺岡からだった。

さんざん考え抜いたことを伝える口調で、嶺岡は切り出した。配置換えを考え直してほしい。まだ自分は営業部の責任者として死んではいない。できることは山ほどある。できる自信がある。——黙ったままの蓮介に、二十も年上の嶺岡は慇懃《いんぎん》な口調で言いつのった。これまでの業績やプライドのことはまったく口にしなかった。ただひたすら嶺岡は、今後のレゴリスの力になりたいのだと訴えた。蓮介は受話器を握ったまま、目の前に並んだ十円玉をじっと見据えていた。耳元で聞こえる嶺岡の声は、しだいに熱を帯び、懇願の色を強めている。ほんの数ヶ月前までは自信に満ちていた嶺岡が、どうかお願いしますと繰り返している。

蓮介はコーヒーカップを持ち上げた。四枚の十円玉の上に叩《たた》きつけるように置くと、中のコーヒーが何滴かテーブルの上に散った。

「できません。いまレゴリスの営業力を落とすわけにはいかないので」

『社長——』

相手の声を断ち切るように、蓮介は通話終了のボタンを押した。

子機をローテーブルに転がして立ち上がった。窓の外には黄浦江が明るく輝いている。眩《まぶ》しさに目を閉じたその一瞬、二十数年前に神通川の川縁で見た光景が瞼《まぶた》の裏に映った。

仲良くしてくれた川っぺりのおじさんは、川面を見下ろせる窓辺で揺れていた。首から伸びたロープは頭上の梁《はり》に結ばれ、いつも笑っていた優しい顔には何の表情も浮かんでいなかった。あらゆる感情が完全に取り払われ、あたたかかった手も体温をなくし、おじさんは人間ではなく一個の死体になっていた。鮒《ふな》釣りの竿《さお》を貸してもらうつもりで、いつものように「おじさん！」と声をかけながら家に上がり込んだ蓮介は、その死体を見上げて長いこと動けなかった。

川っぺりのおじさんは小さな不動産屋を経営していた。家は神通川の川縁に建っていて、一階の道路側が店舗になっていた。泰造が運転する軽トラの助手席に乗って、その店舗に応接テーブルを届けに行ったとき、蓮介はおじさんと知り合った。おじさんは、気のいい奥さんと、蓮介よりも一歳下の亜紀《あき》という娘の三人暮らしだった。おばさんが言うには、どうやらおじさんは息子がほしかったらしく、納品を手伝う蓮介をひどく気に入ってくれた。いつでも遊びに来なさいという言葉を真に受け、蓮介はしょっちゅうおじさんの店へ遊びに行った。娘の亜紀は背が小さくて、アーモンド形の目がくりっとしていて、蓮介は幼い恋心を抱いていた。おじさんに釣りや将棋を教えてもらうのも楽しかったが、亜紀に会えるのも楽しみだった。蓮介と遊んでくれながら、おじさんはよく言っていた。この世の中にあるものは、みんな人間の幸せのために生まれてきたのだと。テレビも、電話も、土地も、家具も、そしてお金も。

しかし、その「金」が、おじさんを殺した。

川っぺりのおじさんが死んでしばらく経《た》ってから、蓮介は両親が話しているのを耳にした。おじさんは人がよすぎた。だからあんなことになった。——どうやら知人の借金の保証人になったらしい。その知人が姿を消し、大きな借金がおじさんの両肩にのしかかった。とても払える額ではなかった。金貸し業者は玄人《くろうと》を使った取り立てをつづけた。いまにして思えば、その時期も蓮介はよくおじさんの家に行っていたのだが、おじさんはいつもニコニコして、悩みなんてどこにもないような顔をしていた。しかし、夏のあの日、追い詰められたおじさんはロープを首に巻いて冷たくなった。

ぶら下がったおじさんを蓮介がぼんやり見上げていると、やがておばさんが亜紀を連れて外出から戻ってきた。おばさんは動物のように叫んだ。亜紀は人形のように表情をなくして立ち尽くした。窓の外はいつのまにか暗くなって、雨がぱらつきはじめていた。

翌年、おばさんと亜紀はどこかへ引っ越していき、それから会っていない。


―弥生―


二日後の午後。

ケーキを食べようという蓮介の誘いについて、弥生は宿のベッドに胡座《あぐら》をかいて考えていた。あれはいったい何だったのだろう。

「ケーキを買いに行くんじゃなくて、食べに行くんだから……」

やはりデートの誘いなのだろうか。

自分の着ている服を見てみる。トランクをベッドに引っ張り上げ、その中に詰め込まれた服も覗《のぞ》き込む。男性とどこかへ出かけることなど想像もしていなかったので、思いっきりラフな服しか持ってきていない。

「どれもいっしょだよな……」

トランクの中の服を引っかき回していたら、ノックが聞こえ、リーファが洗濯し終えたシーツを持って入ってきた。

「どこかへ出かけるのね？」

散乱した服を見て訊《き》かれた。弥生は答えようとしたが、どう答えていいものかわからず、「ああ」とか「うう」とか言いながら、短大時代に買った日中辞書をぱらぱらとめくった。適当な単語を探してみる。「食事――飯《ファン》」では答えになっていない。「待ち合わせ――等候《ドンホウ》」もちょっとおかしい。やがて弥生はある単語に目を留め、それを選んで答えた。

「約会《ユエホイ》」

辞書には「デート」と訳が書かれていた。その単語を口にしてみると、なんだか急に緊張してきた。

リーファはにっこりと微笑み、頑張りなさいよというように肩口で拳《こぶし》を握ってみせた。弥生は照れ隠しに自分の服を指さして、こんな服しかないからと答えた。リーファは上体を引き、弥生の全身をじっくりと眺めていたかと思えば、やがて訊いた。

「昔あたしが着ていた服があるから、見てみる？」

「……すごい素敵じゃないですか」

リーファが箪笥《たんす》から取り出してきた服やアクセサリーは、意外なほどセンスがいいものばかりだった。ゆったりとしたドレス。タイトなチャイナ服。ピンク水晶や翡翠《ひすい》のネックレス。真珠のイヤリング。

リーファはなんだか浮き浮きした様子で弥生を鏡の前に立たせ、ああでもないこうでもないと、着せ替え人形のように弥生の服やアクセサリーをつぎつぎ取り替えていった。部屋の真ん中で下着姿になっても、まったく恥ずかしさを感じないのは不思議だった。

「これにします」

最終的に弥生が選んだのは、どちらかというと地味な、一応ドレスのようなのだが普段着にも見えるといったワンピースだった。アクセサリーも、あまり目立たない、翡翠玉に細い組紐《くみひも》を通したネックレスと、小さな白い貝殻のついたイヤリングにした。

「せっかくなんだから、もっと着飾って行きなさいよ」

「ただケーキ食べるだけですから」

「じゃあ、髪の毛を結ってあげる」

リーファはブラシとピンを持ってくると、弥生の髪を器用な手つきでまとめてくれた。

できたよ、と言われて鏡を振り向いた。

そこに写っているのが、自分ではないような気がした。気取った恰好《かっこう》ではない。しかし、これまで着たことのない服、つけたことのないアクセサリー、ちょっと異国風の髪型——眺めているうちに、なんだか早く出かけたくなってきた。あの人は、どんなケーキ屋に連れていってくれるのだろう。モダンで可愛らしい店だろうか。それとも老舗《しにせ》で、こだわりの材料を使った店だろうか。あまり金はなさそうだったから、きっと高い店ではない。しかし安くて美味《うま》い店が世の中にはたくさんあることを弥生はよく知っていた。

先日の飲み屋で蓮介が見せた、あの子供じみた様子を思い出す。嫌な人で、変な人だ。でも、もっと知りたいと思ってしまうような人だった。散らばった洋服をリーフアといっしょに片付けながら弥生は、早く時間が経ってくれないかと壁の時計をちらちら見上げた。

やがて時計が六時を打ち、宿の前に車の停まる音がした。少し緊張し、口もとに微笑を浮かべながら弥生が出ていくと、停まっていたのはものすごい高級車で、中から運転手が出てきて弥生に一礼し、恭《うやうや》しい動作で後部座席のドアを開けた。

―蓮介―

市内のホテルではレゴリス上海支社のオープニング記念パーティがはじまっていた。

広い会場をゆっくりと歩きながら、蓮介は日本語、中国語、英語で、参加者とつぎつぎに挨拶《あいさつ》を交わした。この日のために、相手の名前、立場、取りかかっている仕事などは完璧に頭に叩き込んである。

「……うお」

派手に着飾った日本人女性が、カクテルグラスを片手に歩いてくる。――大貫真絵美《おおぬきまえみ》だ。真絵美は全国区で業務展開している配送サービス会社、マストポールの役員だが、実務はほとんどない。父親の照源《しょうげん》が会長、兄の宏樹《ひろき》が社長をやっていて、要するに毎月給料だけもらいながら遊んで暮らしているのだった。

蓮介は一瞬動きを止めた。来賓の中に紛れ込もうとしたが、どうやらもう見つかってしまったようだ。顔だけ完璧に笑いながら、仕方なく真絵美のほうへ近づいていった。

「呼んでないけど」

真絵美もまた顔だけ完璧に笑いながら言葉を返した。

「呼ばれたわよ、お父さんが」

　真絵美の父親の照源は、泰造の高校時代の同級生で、蓮介のことも子供の頃から知っている。そもそも蓮介がレゴリスを興《おこ》すきっかけをつくってくれたのは照源だった。大学を出て大手家具メーカーに就職した蓮介は、いつかは自分の会社を持ちたいという夢を抱きつつも、勤め人の生活を漫然とつづけていた。大きな成功も取り返しのつかない失敗も起こりえない毎日から、飛び出す勇気が持てなかったのだ。そんな蓮介に社長業の面白味を教えてくれたのが照源だった。照源は時間ができると蓮介を酒に誘い、トップであることの苦労、醍醐味《だいごみ》、そして何歳になっても尽きることのない夢を語ってくれた。あの多少大げさな一人語りがなかったら、いまも蓮介はメーカーの営業マンをつづけていたかもしれない。

「例の業務提携の話もあるから親父《おやじ》さんは呼んだけど、なんでお前まで来るんだ」

　半年ほど前から、照源は蓮介に業務提携の話を持ちかけてきていた。条件はレゴリスにとって悪くないもので、現状使っているトランスネットからマストポールへの切り替えを、蓮介のほうでも本格的に検討しはじめていた。

「来ない理由がないもの。来る理由ならあるけど」

「どんな理由だよ」

「あなたともう一度仲良くすること。電話しても出てくれないし」

蓮介は顔から笑みを消さず、さり気なく周囲を見た。

「仲良くした憶《おぼ》えなんてないけど」

「したじゃない、学生のとき。あそうだ、あのホテルね、いまおっきなマンションになって――」

「Hi, Brown!」

片手を挙げて来賓たちの中へ向かおうとしたが、真絵美に素早く回り込まれた。

「誰よそれ。でもまさか、こんなに恰好よくなるなんてなあ。振って失敗しちゃった」

「人生そんなもんだ。……お、アメンボ」

「アメンボ？」

黒服にアテンドされ、弥生がぼんやりした顔でパーティ会場に入ってきた。

上流の人間が集まるパーティ会場で、彼女の地味な服装はひどく目立った。

——弥生——

派手に着飾った女性と談笑していた蓮介が、弥生を見つけて近づいてきた。弥生はせわしく瞬《まばた》きをしながら、タキシード姿の蓮介を眺め、周囲の様子を眺め、また蓮介を眺めた。何だこれは。どこだここは。この大勢の人々はいったい誰なのだ。

「あの……これって」

「パーティ。ケーキはあっち。いくらでも取って食べて。特注の、すごいやつがあるから」

「President!」

地位のありそうな年配の白人が、明らかに蓮介を敬うような顔で挨拶をして近づいてきた。二人はそのまま英語で会話をはじめる。弥生はその様子を呆然《ぼうぜん》と眺めた。そして広い会場を埋め尽くす、いかにも上流階級じみた人々や、天井の豪華なシャンデリアに視線を巡らせた。

「プレジデント……え、大統領……」

「社長よ」

先ほど蓮介と話していた女性が、いつのまにか弥生のすぐそばにいた。

「社長……？」

「何その顔。どういう演技？」

彼女はいきなり無遠慮に顔を覗き込んできた。

「お金持ちと知り合えて嬉《うれ》しいくせに。ねえあなた、蓮介とどういう知り合い？　友達じゃないわよね、まさか」

弥生の服や靴をじろじろと眺め、小馬鹿《こばか》にしたように言う。

「あの……あたし、ケーキを食べさせてくれるって言われたから……」

「ケーキならあっちにたくさんあったわよ。行ってくれば？」

女は弥生の背中を乱暴に押した。弥生は押された勢いのままに会場を進んでいき、ケーキの山に向かっていったが、しかしそこへ行き着く前に立ち止まった。広々としたホール。きらびやかに装《よそお》った人々。豪華な料理。パーティっていったい何のパーティだ。どうして自分はこんなところにいるのだ。周囲の人々が、ちらちらと弥生を見ていた。明らかに、自分は目立っている。服装がこの場にそぐわないから。わけもわからずぼんやりと立っているから。

顔が、だんだんと熱くなってきた。羞恥《しゅうち》と、そして蓮介に対する怒りからだった。

「どうかした？」

蓮介が顔を覗き込んできた。

「もしかして、また『やな感じ』とか?」

「そんなレベルじゃないです」

弥生が低い声を返すと、蓮介がすっと真顔になった。

「喜んでもらえると思ったんだけどな。こういうパーティ、来たことないだろうから」

「来たことない人がみんな来たがってると思うなんて、あたしには理解できません」

「声、抑えてくれる?」

急に、蓮介の表情が冷たいものに変わった。企業家の顔。強い立場にいる人間の顔だった。しかし弥生はぐいと顎《あご》を上げて相手と視線を合わせた。

「お礼にケーキ食べさせてくれるって言いましたよね、あなた」

「言ったけど?」

「お礼って何だか知ってますか?」

「何……って何?」

怪訝《けげん》な顔をする蓮介に、弥生は大きく息を吸い込んで一気に言った。

「ありがとうって伝えることに決まってるじゃないですか。あんな高級車で迎えをよこして、こんなところで山みたいに積まれたケーキ食べさせたりしないで、お礼をしたいと思ったんなら、ただあのとき『ありがとう』って言えばよかったじゃないですか」

蓮介に言葉を挟ませず、弥生はつづけた。

「あたしのおじいちゃんは北海道でメロンをつくってます。夏の初めに大きくなったメロンを収穫したとき、梱包《こんぽう》した箱を閉じる前に必ずお礼を言います。メロンに言うんです。自分はこのまま一生メロンをつくりつづけたとしてもせいぜい全部で七十回くらいしかつくれないから、その七十回のうちの一回になってくれたメロンに『ありがとう』ってお礼を言うんだって言ってました。あなた、そういうの絶対わからないでしょ」

周囲の来賓の中に、二人のやりとりを気にする者が出はじめていた。

「帰ってくれるかな」

弥生を無感情な目で見下ろし、蓮介は静かに言った。

「当然です、帰ります」

弥生は背中を向けた。歩き去ろうとしたとき、肩越しに蓮介の声がした。

「それからいまの話だけど、俺そういうの、ぜんぜんわからないから」

返事をせず、弥生は来賓たちの中を突っ切ってパーティ会場を出た。ホテルの玄関を抜けようとしたとき、傍らの案内プレートが目に入った。たったいま飛び出してきたパーティ会場で行われていたのは、『REGOLITH SHANGHAI BRANCH Opening Party』らしい。

「レゴリス……え、レゴリス？」

あの会社だ。テレビで「人生哲学」を語り、翔太の目から「コロモ」を落としたのは蓮介だったのだ。ということは、弥生がここ上海《シャンハイ》に来るきっかけをつくったのも、蓮介だということになる。

新たな怒りがこみ上げた。もっとも、それが何に対するものなのかは判然としなかった。とにかく弥生は、葉月蓮介という一人の人間に、自分がひどく馬鹿にされた気がした。リーファとも仲良くなり、せっかく居心地がよくなってきた上海だが、やってきたきっかけをつくったのが蓮介だったのかと思うと、急に嫌な場所に思えてきた。そのことで、さらに蓮介への腹立ちは増した。

ホテルの外は静かだった。ずかずかと石畳を踏んで庭園を抜け、豪華なアーチを抜け、ガードマンのいるゲートを抜けたとき、弥生は自分が帰り道を知らないことに気がついた。いっそう腹が立ち、パーティ会場のほうをキッと振り返ったが、建物を睨《にら》みつけても仕方がない。

そのときゲートを入ろうとしていた赤いクーペが彼女の横で停まった。

「あれ、アメンボちゃん？」

ウィンドウを下げて顔を出したのは、飲み屋で蓮介といっしょにいた男だ。こちらも先日とうってかわって、きちっとタキシードを着込んでいる。

「これから会場に入るんでしょ？　いっしょに入ろうか」

「あたし人間です」

「え」

「アメンボじゃありません。椋森弥生っていうちゃんとした名前があります。それに、入るところじゃなくて出てきたところです。帰るんです」

「あ、怒った？　ごめん、蓮さんがアメンボって呼んでたもんだから。……え、もう帰るの？　ていうか歩いて？」

弥生は数秒、返す言葉を探したが、けっきょく頷《うなず》いた。

「じゃ送るよ。歩きで帰るのは無理だろ、どう考えても」

弥生は首を横に振り、ホテルを離れた。背後から「おーい」としつこく声が追いかけてきたが、振り返らなかった。

—シュウメイ—

東京都荒川区の路地。

アパートの前に立ち、シュウメイは電柱の住所プレートを呆然《ぼうぜん》と眺めていた。手にした封筒の裏側に書かれた住所と見比べる。何度確認しても、両者は同じだった。封筒は以前にハンヤンから送られてきたエアメールだ。

上海にいることに耐えきれなくなり、とうとうシュウメイはハンヤンに会うため日本へやってきたのだった。若い妻がいようが構わない。自分はハンヤンの実の娘なのだ。会えば、きっと父は力になってくれる。助けてくれる。シュウメイはそう信じていた。調べてきたとおり、南千住という駅で電車を降り、派出所の警察官に封筒を見せて場所を訊《たず》ねた。警察官は丁寧に道を教えてくれ、そのとおりに歩いてたどり着いたのが、このアパートだった。

しかし、どうやら住所が間違っていたらしい。きっと父は自分の住所を書き違えたのだ。目の前に建っているのは、いまにも崩れそうに老朽化したアパートで、裕福なハンヤンが、こんなところに住んでいるはずがない。

周囲の景色が暗くなっていくような錯覚をおぼえながら、シュウメイは両手で顔を覆《おお》った。母の形見の指輪が、冷たく頬に触れた。どうすればいいのだろう。円に替えてきた金は、日本へ来る飛行機代でほとんど消えている。財布の中にはもういくらかの小銭しか残っていない。

途方に暮れ、シュウメイはアパートに背を向けてとぼとぼと歩き出した。ふと顔を上げると、路地の角に誰かが入っていくのが見えた。——明らかに、隠れるような動きだった。シュウメイは思わず足を速めた。

人影が隠れた角を曲がると、狭い路地の先に男の後ろ姿があった。

「爸爸《パーパ》！」

思わず声を上げると、首をすくめて歩き去るハンヤンの肩が、びくりと震えた。しかし父は振り返ろうとしない。歩調を速め、逃げるように遠ざかっていく。シュウメイは駆け出した。その気配に気づいたのか、ハンヤンも走った。

角を二度曲がったところで、シュウメイはハンヤンに追いついた。ハンヤンはシュウメイの顔を見ようとしなかった。目をそむけたまま、ぜいぜいと荒い呼吸を繰り返すばかりだった。

「……ぜんぶ？」

狭くて薄汚れたアパートの部屋で、水道水の注がれたコップを両手で包むようにして支え持ち、シュウメイは訊《き》き返した。

「ああ……ぜんぶだ」

ハンヤンは弛緩《しかん》した顔で頷いた。先ほどから一度も娘の目を見ようとしない。嘘《うそ》だったのだ。すべてはハンヤンの作り話だった。父は日本で成功したことなど一度もなく、ただただ意地で中国へ帰ることができないまま、ずっとこうして極貧の暮らしをつづけてきたのだという。シュウメイが九歳のとき、祖父とともに遊びに行ったあのマンションも、知人に頭を下げて一日だけ借りたものだった。大学生のシュウメイにご馳走《ちそう》してくれたイタリアンも、金貸し業者からの借金で支払った。通常の街金融から借金することさえもうできなくなり、いまでは闇金融からの借金がかなりの額までかさんでいるらしい。日本人の若い妻など、もちろんどこにもいない。――途切れ途切れに、生気のない声で、ハンヤンはそう話した。

「身体《からだ》も、ずっと前からあちこち調子が悪くてな……最近じゃもう、早く死ぬことばっかり考えてる。ポックリ寺とかコロリ観音とかな、話に聞いたもんだから、死なせてくれ、死なせてくれって、この前も拝みに行ったよ」

そう言って、ハンヤンは口もとに薄笑いを浮かべた。瘦《や》せた指で撫《な》でた左腕には、シュウメイが九歳のときにプレゼントした琉璃珠《リウリジユー》の腕輪があった。切れた紐《ひも》を自分で直したらしく、不器用な修復の跡が見えた。

「言っただろう、シュウメイ……金のない人間にゃ、誰も味方しちゃくれないんだ」

そう言ってハンヤンは、膿《う》んだように濡《ぬ》れた目をのろのろとこすった。

―蓮介―

「停まって」

数日後の昼。車の後部座席に揺られてウェルド・アジア支社長との打ち合わせに向かっていた蓮介は、思わずドライバーに声をかけた。

左手に、高台が見えている。パーティ会場から追い出した椋森弥生――彼女が宿泊している宿は、たしかこの高台の上にあったのではなかったか。

「少しだけ待っていてもらってもいいかな」

「こんな場所に、何か御用が？」

蓮介は小さく首をひねって曖昧《あいまい》に答えた。

「たぶん、大した用じゃないよ」

自分でも、どうして車を停めさせたのか、よくわからなかったのだ。

「高台の上でしたら、この先の道から車で回って行けますが？」

「いい、ここにいて」

蓮介はドアを出た。

左右を灌木《かんぼく》に挟まれた石階段を上っていった。額が少し汗ばんできたころ、ようやく宿の前までたどり着いた。自分はいったい何をしに来たのだろう。内心でまだ首をひねりながら、玄関のベルを鳴らす。

ものすごく目つきの悪い老婆《ろうば》が出てきて、蓮介をじろりと睨《ね》め上げた。

「ああ……あの子なら昨日、日本に帰ったよ」

弥生のことを訊《たず》ねると、彼女はそう答えた。

「本当はもう少しいるつもりだったようだけど、何か、すごく嫌なことがあったみたいでね。やっぱり帰りたくなったらしい」

「そうですか」

礼を言って蓮介が立ち去ろうとすると、老婆は小さく溜息《ためいき》をついて言葉をつづけた。

「現像した写真を、あの子に渡すのを忘れたんだよ。うちは宿帳もつくってないし、住所がわからないから届けようがなくて……」

どんな写真かと訊いてみると、老婆はいったん家の奥に引っ込み、三枚の写真を手に戻ってきた。老婆と弥生が並んで映っているものが二枚。もう一枚はケーキの写真で、「生日快乐　麗華！」というメッセージの隣に、なにやら奇怪な生き物の顔面が描かれている。思わず蓮介は眉《まゆ》を寄せた。

「まったく絵心ねえな……」

しばらく写真を見つめていた蓮介は、やがて顔を上げて老婆に言った。

「届けましょうか、これ」

「あなた、弥生の家を知ってるの？」

「知りません。でも、渡せると思います」

半信半疑の老婆の手から、蓮介は写真を受け取った。

—シュウメイ—

深夜、暗い部屋でハンヤンのだらしないいびきを聞きながら、シュウメイは闇を睨んでいた。ぜんぶ嘘だった。成功も、金も、幸せも。

空腹をおぼえ、暗がりで身を起こした。昼から、ハンヤンが出してくれたパンを二人で分け合って食べただけだ。寝ているハンヤンを起こさないよう、シュウメイはそっと台所へ向かった。冷蔵庫を覗《のぞ》いてみるが、食べられるものは何もない。

流し台で水だけ飲み、シュウメイはトイレに入った。用を済ませて水を流したそのとき、右手の薬指をするりと何かに撫でられたような感触があった。直後、微《かす》かな金属音が膝先《ひざさき》で聞こえた。あっと思ったときにはもう、母の形見である翡翠《ひすい》の指輪は水流とともに排水口へ吸い込まれて消えていた。

ここ最近の食生活で、自分の指はひどく細くなっていたのだ。指輪が抜け落ちてしまうほど。

全身から急に力が抜け、シュウメイはその場に膝をついた。排水口に消えた指輪が、二度と取り戻せないすべてのものを象徴しているように思えた。狭いトイレの中で、シュウメイは顔を覆って嗚咽《おえつ》したが、もう涙も出てこなかった。

ハンヤンの言葉が耳の奥に聞こえた。

——金のない人間にゃ、誰も味方しちゃくれないんだ。

やっとのことで身を起こし、シュウメイは布団《ふとん》に戻った。しかし、ハンヤンの声はいつまでも消えてくれなかった。窓の外が白んできた頃、声はようやく遠ざかっていったが、それにかわって聞こえてきたのはミンの声だった。

──あんたはそのルックスだもの、モデルの仕事受けてさ、そのまま上手《うま》くやって、社長に近づいちゃいなよ。愛人になれるよ、あんたなら。そうなればもう、一生お金には困らないじゃないの。

朝が来ると、ハンヤンはシュウメイとほとんど口も利《き》かず、廃品回収の仕事に出かけていった。狭くて不衛生な部屋に、シュウメイは長いこと座り込んでいた。そのあいだも、頭の内側ではハンヤンの声とミンの声が交互に響いていた。

やがて、シュウメイは部屋を出た。駅で電車に乗り込み、向かった先はデパートのある数個先の駅だった。

デパートに着く前に、シュウメイは駅の売店で手提げ袋を一つ買った。

デパートに入ると、はじめは高級ブランドのテナントをいくつか回った。それらのテナントはほかにあまり客がいなかったので、店員の目が真っ直《ます》ぐにシュウメイに注がれた。フロアを移動し、シュウメイは客で混み合っているテナントに入った。アクセサリー。ハンドバッグ。財布。香水。ブランド品でない商品たちは、ガラスケースにも入れられず無造作に展示されていた。テナントからテナントへ移動しながら、シユウメイは商品をつぎつぎ手提げ袋に入れた。手が震えた。唇も震えた。デパートの玄関を出るときは、恐怖で息が詰まり、吸い込んだ息がどうしても吐き出せなかった。

——金のない人間にゃ、誰も味方しちゃくれないんだ。

——そうなればもう、一生お金には困らないじゃないの。

盗んだ商品を駅のコインロッカーに預けると、シュウメイはふたたび手提げ袋とハンドバッグだけを持って洋品店へ向かった。このときにはもう、捕まってもいい、どうなってもいいという心境になっていた。服を——できるだけ高価な服を、この手提げ袋に突っ込んでこよう。商品棚の陰や、試着室をうまく使えば、きっとできる。

手の震えは消えていた。

午後になってハンヤンのアパートへと戻った。シュウメイは薄暗い脱衣所で、鏡を睨《にら》みつけながら、盗んだものを身につけ、痩せた顔に化粧を重ねた。

鏡に映っていたのは、自分とは思えない女性の姿だった。

胸のあいたブラウスから、細い首筋が立ち上がり、目のまわりを誘いかけるような寒色のラインが縁取っている。狭い脱衣所には高価な香水の匂《にお》いが満ち、シュウメイは一瞬、鏡の中の女性が自分に取り憑《つ》こうとしているような錯覚をおぼえた。

ハンドバッグのファスナーを開け、折れ曲がった名刺を抜き出した。上海のアパートの前で、葉月蓮介から渡されたものだ。上海支社と東京本社の連絡先が、そこには印刷されていた。

＊＊＊

そのときアパートの前に、一人の若い男が立っていた。

ひどく痩せて、嫌な目つきをした、やけに瞬《まばた》きの少ない男だった。

あんなにたくさんのものを盗んで、彼女はどうするつもりなのだろう——男は首をひねる。自分で身につけるのだろうか。それとも誰かに売るのだろうか。

綺麗《きれい》な人だ。こんなぼろぼろのアパートに住んでいて可哀想だ。お金がなくて可哀想だ。ものを盗むときに指が震えて可哀想だ。

一人暮らしなのか、それとも誰かといっしょに暮らしているのか。さっき見た一階の郵便受けには名前が書かれていなかった。

ぽっかりと両目を開けて、シュウメイが入っていったドアを見上げながら、男はもう一度首をひねった。

第二章　眩《まぶ》しい世界／いちばん綺《き》麗《れい》な花火

―弥生《やよい》―

思い切った音で弥生が舌打ちをすると、怪《け》訝《げん》そうな視線がちらちらと集まり、それと同時に先ほどから尻《しり》を撫《な》でていた生あたたかい手の感触が消えた。

月曜日の朝、身動きもとれないほどギュウギュウ詰めになった京浜東北線に弥生は乗っていた。登録した転職サイトで紹介された会社へ面接に向かうところだった。

派遣社員として勤めていたときも思ったものだが、どうして世の中にはこんなにたくさん痴漢がいるのだろう。車内が混み合ってさえいれば、どの時間にどの車両に乗っても、必ず尻や腿《もも》に手が伸びてくる。何か大きな組織のようなものがあって、女性一人につき痴漢一人、担当でもつけているのではないだろうか。

――いまの時代、そんな簡単に働き口が見つかるかよ。

帰国した弥生が就職活動をはじめたとき、亮はそう言って鼻で笑った。

——仕事見つからなくても、生活費、ちゃんと半分出せよ。

——すぐ見つかるから大丈夫だって。

が、まったく大丈夫などではなかった。上海《シャンハイ》から帰国した翌日から弥生は懸命に就職活動をつづけているのだが、二ヶ月が経《た》とうとしているいまになっても、雇ってくれる会社は見つかっていない。

「……ん」

右肩から提げたショルダーバッグの中で、携帯電話がメールの着信を報《しら》せた。転職サイトからの新着情報かもしれない。期待しつつ、弥生はもぞもぞと腕を動かしてバッグから携帯を取り出した。ディスプレイを覗《のぞ》いてみる……が、おかしなことに、メールの着信は0件となっている。どういうことだろう。いま、たしかにバイブレーションが着信を報せたのに——。

異臭が鼻をついた。ウッと息を止めると同時に弥生は、いましがたの謎《なぞ》のメール着信の正体を知った。あれはどうやら、弥生のショルダーバッグに尻を密着させた中年サラリーマンが放った一発のおならだったらしい。

「最悪だ……」

息を吸わないようにしながら携帯をバッグに戻していると、おならを放った中年サラリーマンが顔だけで振り返り、眉《まゆ》をひそめた。

「混んでるんだから、もぞもぞ動くんじゃないよ」

電車がホームへ滑り込む。ドアがひらき、男は身も心も軽くなったような足取りで去っていく。カッと脳天が熱くなり、気づけば弥生は人混みを掻《か》き分けて男を追いかけ、前に立ちふさがっていた。

「あなたがおならしたから携帯出したんじゃないですか!」

「あ?」

「おならがメールだと思ったから、あたしわざわざ携帯出して——」

「わけのわからないこと言うもんじゃない、朝はみんな急いでるんだから」

どん、と肩をぶつけて男は弥生の脇《わき》を過ぎていく。ぐらついた体勢を立て直して振り返ったときには、もう人混みの中に紛れていた。死ねっ——心の中だけで叫び、弥生はふたたび電車に乗り込もうとしたが、プシューと音がしてドアは目の前で閉まった。

「最悪だ……最悪……」

走り去る電車を睨《にら》みつけていた弥生は、ふらふらとベンチに歩み寄ると、どすんと何もかも上手《うま》くいかない。拳《こぶし》を握って左右から自分のこめかみを叩《たた》く。何もかも上手《うま》くいかない。嫌なことばかり起きる。きっとタイミングが悪かったのだ。そう、帰国したタイミングが悪かった。もしもう何日かずれていたら、すべて上手くいっていたかもしれない。複雑な歯車同士がぴたりと嚙《か》み合うように、まさに弥生のような人間を求めていた会社で面接を受けることができていたかもしれない。いま頃はドキドキしながら慣れない出勤をしたり、明るい同僚たちと昼休みに楽しく喋《しゃべ》ったり、派遣社員の頃よりもずっと高くなった給料を亮に自慢していたかもしれない。もう少し上海にいればよかったのだ。あの男のせいだ。葉月蓮介。あいつに嫌な目に遭わされたものだから、自分は予定を早めて帰国してしまった。絶対に許さない――あの男だけは。思えば翔太に金を貸してしまったのだって、あの男のせいだった。あいつがテレビで人生哲学だか何だかを語ったりしたから。

その夜、弥生はジャム瓶の「おんちゃん貯金」をおろし、久しぶりに酒を飲んでいた。飲まずにはいられなかった。もっとも生ビール一杯だが。

「ねえマスター……あたしってそんなに悩みなさそうに見える？」

「見えるよ」

鉄二にカウンターの向こうで即答され、がっくりと首を垂れた。

今日の面接官が、嫌な笑いを浮かべながら弥生に言ったのだ。「悩みがなさそうでいいね」と。これは弥生が子供の頃からしょっちゅう言われてきた言葉だった。

自分はそんなに単純そうに見えるだろうか。いや、たしかに単純な人間ではある。それはさすがに認めよう。しかし、単純だからこそ生じる問題だってあるのだ。上海のパーティでの一件もそうだった。どうして自分はあのとき蓮介に対し、あんなに腹を立てたのか。どうしてあんなに強く怒りをぶつけてしまったのか。弥生はあれから考えた。浮かんできた答えは予想以上に簡単なものだった。弥生が怒ったのは、相手の身勝手さや非常識さのせいではない。単に自分が期待を裏切られたのが悔しかったのだ。蓮介の言葉をデートの誘いだと思い込み、リーファから服やアクセサリーを借りて、ワクワクしながら約束の時間を待っていたことが恥ずかしかったのだ。

「なに、弥生ちゃん、悩んでるように見られたいの？」

「そういうわけじゃないけど……もういいや」

弥生は仕草だけ大げさにジョッキを持ち上げ、ちょっとだけビールをすすった。カウンターの端には鉄二が日曜大工でつくったテレビ台が置かれていて、そこに十三インチのテレビが載っている。映っているのはシリアス系の連続ドラマだ。弥生と同年代の大人っぽい女優が、何があったのか知らないが、溜息《ためいき》をついて頭を抱えている。

「あのさマスター、ちょっと訊《き》くけど、期待を裏切られることってよくあるじゃない？　あれって期待するほうが悪いの？」

え、と鉄二は訊き返したが、弥生が言い直す前につづけた。

「いや、期待って何の期待か知らねえけどさ、自分の身の丈に合ったもの以上を期待すりゃ、そりゃそのとおりにはならねえよ。けどそれは、裏切られたのとは違う。単に間違った期待をしちまったんだ」

「どういうことよ」

「だって裏切るってのはあくまで相手がやることだろ？　たとえばこの店は下町の商店街にあるから、大儲《おおもう》けは期待しちゃいけねえ。でも細々と長いこと商売をつづけることなら期待してもいい。それ以上のもんを期待しても無理ってもんよ」

「じゃ、相手の身の丈がわからないときは、何も期待しちゃいけないの？」

「相手？」

「何でもない」

面倒くさくなり、弥生は話題を切り上げてホタルイカの沖漬けをつまんだ。鉄二は弥生の顔を横目で見て、「ははあん」と声を洩《も》らした。

「弥生ちゃん……恋したな？」

「してないけど」

恋なんてする気も起きないが、ムキになって否定するのもおかしいので、弥生はそれ以上何も言わなかった。

「お、これこれ」

急に、鉄二がテレビのほうに首を伸ばす。

「このＣＭに出てる女優、弥生ちゃん知らない？」

画面に目をやり、弥生は「うわ」と思わず声を洩らした。

「誰この人、すごい綺麗《きれい》。——え、有名な人じゃないの？　あたしあんまり芸能人って詳しくないから」

途中から見たので何のＣＭだかよくわからないが、全体的に暗い画面の中で、すらりとした長身の美人にスポットライトがあたっている。高級そうな黒いカウンターテーブルに向かってスツールに腰掛け、うっすらと笑みをたたえてテーブルの天板を撫で——。

「あ、消えちゃった」

女性だけがフェイドアウトし、画面にはカウンターテーブルとスツールだけが残された。そこで音楽とナレーションが入ったようだが、厨房《ちゅうぼう》の換気扇のせいでぜんぜん聞こえない。やがて画面は真っ暗になり、真ん中に企業のものらしいロゴマークが浮き出してきた。満月のような白い○の右側に、細かい銀色の点が、砂を撒《ま》いたように散っている。その下には「REGOLITH」というアルファベットが――。

「うわ、また」

弥生は思わず身を引いた。

「また……何？」

「また……悩んでる。この人」

咄嗟《とっさ》に誤魔化した。画面ではドラマが再開され、先ほどの女優がふたたび頭を抱えている。

「さっきのＣＭの女優さん、謎の女なんだぜ」

「何それ」

「正体不明なんだって、週刊誌で読んだんだけど。レゴリスっていうあの家具メーカーの広告に急に出てくるようになって、でも誰も知らない女優らしいんだ。えらい綺麗だし、そんなに若い人じゃなさそうだから、有名でもおかしくないのになあ。インターネットなんかでもさんざん噂《うわさ》になってるらしいよ」

なるほど、たしかにそれは「謎の女」と呼びたくなる。

「CMで一言も喋らないから、日本人じゃないって噂もあんだよな。俺もなんとなく、そうなんじゃないかって気がする。とにかく会社がプロフィールを一切公開してねえんだよ。弥生ちゃん、でかい建設会社に勤めてんだから、レゴリスと取引ないの？」

「あ……ええと、ないかな」

「もしそういう機会があったら、ちょっと訊いてみてよ。謎の女のこと。俺、一目惚《ひとめぼ》れしちゃってさあ」

「機会があったらね」

やがてドラマが終わり、ニュース番組がはじまった。

「弥生ちゃんはあれだよな、ぜんぜん謎めいてねえよな」

浅草の三社祭《さんじゃ》の映像を眺めながら、鉄二があくびまじりに言った。


―蓮介―


「木彫りの熊《くま》……木彫りの熊……」

谷中の路地に並ぶ居酒屋を何軒も覗き込んでいた蓮介は、とうとうある店のカウンターにそれが置かれているのを見つけた。上海の酒場で見た木彫りのパンダと、よく似ている——気がしないでもない。

「『北海道料理』……お」

店の看板を見て思わず唇をすぼめた。

「いらっしゃい」

入ってみたが、客は一人もいない。威勢のよさそうな店主がカウンターに置かれたビールジョッキと小皿を下げているだけだ。

「ビールもらえます？」

四つ椅子《いす》が並んだカウンター席の、いちばん奥にとりあえず座った。

「すんません、そこの機械で食券買ってもらっていいすか？」

「あ、そういう——」

蓮介は入り口の券売機まで戻り、『生中《なまちゅう》』のボタンを押した。

「この『巨大明太子《めんたいこ》おにぎり』って、どのくらい巨大ですか？」

腹が減っていたので、ついでに食事をすませることにした。

「大したことないですよ、女の子でも食べられるくらいだから」

しかし、出てきたおにぎりは蓮介が見たことのないほどの大きさをしていた。

そして、びっくりするほど美味《うま》かった。

「北海道産の、いい明太子使ってますからね」

日本でこんな店に入ったのは何年ぶりだろう。蓮介はおにぎりを頬張りながら軽く店内を見回してみた。上海で入ったあの店に、よく似ている──気がしないでもない。

「『おんちゃん』ってどういう意味なんです？」

「『弟』です、北海道の方言で『弟』。私が弟なもんでね。ちなみに『兄貴』は『おんちゃ』。うちのほうじゃ、そうなんですよ」

「紛らわしいですね」

「ねえ」

店主は快活に笑い、自分は鉄二という名前で、北海道で一鉄《いってつ》という兄がやはり居酒屋をやっているのだと言った。

「お兄さんのお店って、もしかして」

「『おんちゃ』です。お客さん鋭いなあ」

もう一度派手に笑うと、鉄二はとんとんと包丁を動かして料理の仕込みをしはじめた。

蓮介はスーツの内ポケットから封筒に入った写真を取り出し、テーブルに並べた。

宿の老婆《ろうば》と弥生がいっしょに写っているものが二枚。奇怪な顔が描かれたバースディケーキが一枚。――この写真を受け取ってから、もう二ヶ月が経《た》とうとしている。

目まぐるしい毎日だった。シュウメイを広告モデルに採用し、大々的な広告活動を開始すると、レゴリスは瞬《また》く間に世間の目を集めた。作戦が成功したのだ。誰も見たことがなく、プロフィールも明かされていない美女はすぐに物好きたちの噂を呼び、週刊誌やインターネットであれこれと正体が憶測されるようになった。CM動画を貼《は》りつけたレゴリスのホームページはアクセス数が激増し、主要駅に貼り出した広告パネルの前では必ず誰かが立ち止まっている。広告モデルの正体について、マスコミからどれだけ問い合わせが来ても絶対に明かさないよう、蓮介は社員たちに厳しく命じていた。

まだ実際の売り上げにはそれほど効果は出ていない。しかし、これからだ。シュウメイを起用した広告戦略では、はじめから即効性は期待していない。いまは、レゴリスという社名を世間に徹底して広める段階だった。

だからこそ、蓮介はこれまで以上に営業部の社員に対して厳しい目を向けていた。強いエンジンを積むことができても、機体が脆《もろ》ければ飛べない。日々の売り上げデータを徹底的に分析し、力量不足と思われる店長は本社に呼んで激しく叱責《しっせき》した。「もう限界です」という、例の弱音とともに退社していく社員が、今後おそらくいままで以上に出てくるだろう。しかし、そうして血液が入れ替わることで、レゴリスはさらに強くなる。蓮介はそう信じていた。

「お、スーさんいらっしゃい」

「あー腹減った」

よほど空腹なのだろうか、顔をしかめて腹をさすりながら客が入ってきた。いかにも左官屋といういでたちの初老の男だ。顔が真っ赤なので酔っ払っているのかと思ったら、日焼けのようだった。スーさんは食券を買うと、蓮介にちらりと一瞥《いちべつ》をくれてカウンター席に座る。鉄二とのやりとりからして、常連らしい。

「お、ハマちゃんいらっしゃい」

鉄二が声を上げたので入り口を振り向いたが、新客の姿はどこにもない。

「……なあんちゃって」

鉄二がニヤリとしながら顔を近づけてくる。蓮介が軽く首をひねると、困ったように両目をしばたたいた。

「あれ、面白くなかったすかね。スーさんのあとからハマちゃんっていう冗談だったんすけど……」

まったく意味がわからなかった。蓮介の表情から鉄二もそれを見て取ったらしく、あははと中途半端《はんぱ》に笑いながら目をそらす。

「スーさん、このごろまた忙しいんじゃないの?」

「ああ、現場が立て込んじゃってるかんな」

「これから暑くなるんだし、ちゃんと水分とってやるんだよ。若くねえんだからさ。

——お、ケンちゃんいらっしゃい」

今度は本当に新客が入ってきた。よれたスーツを着て、ネクタイをネックレスと呼んでもいいくらいに緩めている小肥《こぶと》りの男だ。眼鏡のつるがこめかみに埋まっている。年齢《とし》は蓮介よりも少し上だろうか。ケンちゃんは食券を買い、スーさんに向かってちょっと手を挙げて隣にどすんと座った。

生ビールを飲みながら蓮介は、聞くともなしに彼らの会話を聞いていた。

スーさんの息子は来年受験らしい。

「俺高卒だろ、そんでいろいろアレだったから、あいつには大学行ってもらいてえと思ってさ。でも私立の学費聞いたら、もうすんげえの。目ん玉飛び出っちまったよ、こんなふうに」

いっぽうケンちゃんは独身で、なんとか四十までに結婚をしたいのだが、不景気なので家族を養っていく自信がないらしい。

「今度のボーキュウリなんて、たぶん前回の半分くらいになるんじゃないかなあ。日本は駄目だね、もう駄目。ぜんぜん駄目」

「あい、ビールに熱燗《あつかん》。スーさんにはいま明太子おにぎりつくるから。うちだってさ、めっきりお客さん減ったよ。そんで野菜なんかは高くなるじゃない？　このままだと危ねえよ、うちも」

もし日本語を解さない外国人が彼らの様子を見たとしたら、悩みを言い合っているとはまさか思わないだろう。三人とも、明るい声と笑顔だった。きっと、本気で悩んでなどいないのだ。なんとかなると思っていて、もしなんとかならなくても、人生が終わるわけではないというくらいにしか悩んでいないのに違いない。

「お兄さん、何してる人？」

いきなり鉄二に訊《き》かれた。

「ああっと……こういうの売ってます」

蓮介は隣の椅子の背もたれをコンコンと叩《たた》いた。

「椅子？」

「いえ、家具です。家具全般」

「あ、じゃあレゴリスって知ってる？」

一瞬、返事が遅れた。

「ええ、まあ」

「あのＣＭに出てる女さ、いいよね、よくない？」

「そうですね」

「どっちなのよ」

「いいと思います」

「テッちゃん、この前からその話ばっかしじゃん」

苦笑したのはネックレスネクタイのケンちゃんだ。ケンちゃんは蓮介に顔を向け、細い目を細くしてうんうんと頷《うなず》く。

「しかし、そっか、お兄さん家具屋で働いてんのか。レゴリスみたいなでっかいとこには、やっぱし敵《かな》わないもん？」

「まあ……うちはうちなりに、頑張ってやっていこうかと」

「えらい！」

ばん、とスーさんがテーブルを叩いた。

「家具屋なんて給料安いだろ？　でもさ、そうやって安月給なりに一生懸命やろうとしてんだもん、大したもんだよ。このケンちゃんみてえに文句ばっかし言ってねえもん」

「いいじゃんか、家帰っても文句聞いてくれる人いないんだから。え、お兄さんもやっぱし安月給なんだ？」

「まあ、ええ」

「じゃ、仲間だ仲間。俺とスーさんの仲間」

「俺もかよ」

「そうでしょうが」

乾杯だ、と鉄二がカウンターの向こうでビールの入ったグラスを持ち上げた。飲みながら仕事をしていたらしい。

「貧乏暮らしに乾杯！」

鉄二がそう言うと、客の二人は息ぴったりのタイミングでそれぞれのグラスとお猪口《ちょこ》を持ち上げ、蓮介も思わずビールジョッキを持ち上げた。そのとき左の袖口《そでぐち》から腕時計が覗《のぞ》いていることに気づき、ジョッキを置いてから、さりげなくスーツの袖をかぶせた。二人は安月給らしいが、この腕時計は彼らの給料の何ヶ月分するのだろう。

それからしばらく、三人と喋《しゃべ》っていた。途中で鉄二は「おごりだ」と言って、蓮介とケンちゃんに生ビール、スーさんに熱燗を出した。ついでに自分のグラスにも生ビールを注いだ。

フリの客が珍しいのか、三人は代わる代わる蓮介に質問をしてきた。働いている場所。家具屋での仕事は具体的にどんなものなのか。どのあたりに住んでいるのか。故郷《くに》はどこか。——実家が富山にあることは正直に話したが、仕事については最初に適当に話を合わせてしまった手前、それで通すしかなかった。蓮介は「家具の葉月」を思い浮かべ、そこで働いていることを想像して、仕事の内容や問題点、業界外の人が聞いて楽しめそうなエピソードを話した。そうしているうちに、自分が本当に小さな家具屋で働いている安月給の社員のように思えてくるのは不思議なものだった。

「お兄さん独身でしょ？　彼女とかいんの？」

スーさんがそう訊いたとき、カウンターの向こうで鉄二がふっと顔を向けた。蓮介の返答に、何か特別な興味でも持っているかのような仕草だった。訝《いぶか》りながらも蓮介は答えた。

「いえ、いません。仕事がわりと、忙しいもんで」

スーさんは「ああ仕事が」と頷いた。鉄二は何故《なぜ》か思案げに唇を尖《とが》らせて、蓮介の顔をじっくりと見る。

「……何です？」

「あ、いやいや何でもない」

腕時計を隠したまま、ふと壁のアナログ時計を見上げると、いつの間にかけっこうな時間が経っている。蓮介は腰を上げた。

「どうも、ごちそうさまでした」

会社に戻って片付けなければいけない仕事が、まだいくつかあった。

「また来てよ」

鉄二が言い、スーさんとケンちゃんがそれぞれ片手を挙げた。

「金曜日とか、いいかもしれないよ」

何故か小声になって鉄二は言う。

「どうしてです？」

「いやごめん、また何でもない」

蓮介は適当に会釈《えしやく》をして店を出た。

＊＊＊

「テッちゃん、さっき何であのお兄さんに、金曜日がいいって言ったの？」

ケンちゃんに訊かれたが、鉄二は適当に誤魔化した。

「いやそりゃ、週末のほうがゆっくり飲めるからね」

「ああ、それだけ」

「そう、それだけ」

というのは嘘《うそ》だった。

いま自分が考えていることに、鉄二は絶対の自信を持っていた。あの男——弥生に惚《ほ》れている。何故ならこの二人が来る前、彼はカウンターテーブルの上に弥生の写真を置いて見つめていたからだ。そして巨大明太子《めんたいこ》おにぎりを食べているときは、ずっと物思わしげな目で虚空《こくう》を睨《にら》んでいたからだ。あれは恋の悩みに違いない。そもそもこの店に入ってきたとき、彼は誰かを捜しているような感じだった。きっと弥生が目当てだったのだろう。誰かから、あるいは本人から、この店によく来ると聞き、偶然を装《よそお》って「あれ？」なんていって出会おうとしたのだ。まったくわかりやすい男だ。

「惜しかったなあ……」

「え？」

「いや、何でもない。三回目だけど」

かなり惜しかった。彼が来るほんの少し前まで、弥生は実際ここにいたのだから。

だから鉄二は金曜日がいいと言ったのだ。弥生が来るのは金曜日であることが多い。今日は月曜日なのに珍しく来ていたが、たいていは週末の夜だ。

他人《ひと》の恋は、応援してやりたい。弥生には学生時代から付き合っている彼氏がいると聞くが、そんなことは関係ない。

「男なら奪ってみせろ」

「え?」

「いや、何でもない。四回目」

それにしてもあの男、安月給だと言っていたが、大丈夫だろうか。弥生は超一流企業のキャリアウーマンだ。収入の差があり過ぎて、相手にされないという可能性もある。

「頑張れよ……」

鉄二は家具屋の男が出ていった引き戸を見つめた。


——弥生——

弥生が高畠《たかはた》商会の前を通りかかったのは偶然だった。

登録した転職サイトからの紹介で、新たにまた一社、面接を受けることができたのだが、またしても面接官の反応は悪かった。やはり資格の一つも持っていないからだろうか。それとも自分は見るからに仕事ができなさそうな顔をしているのだろうか。

真《ま》っ直《す》ぐ家に帰るのが嫌で、弥生は駅を出るとアパートとは反対方向に歩き出した。とぼとぼと、いつまでも歩いた。そうしているうち、亮にロナウドの餌《えさ》を買ってくるよう頼まれていたのを思い出した。以前なら自分で買ってこいと言い返すところだが、いまの弥生は立場が弱い。いや、貯金を切り崩してきちんと生活費は払っているのだが、働いていないと、なんとなく弱い気がしてしまうのだった。

「ペットショップ……ペットショップ……」

ぶらぶらと探しているうちに、狭い路地へ入り込んでいた。

左手に一軒のおもちゃ屋があった。間口は狭いくせに、やけに奥行きのある店だ。

半びらきになったガラス戸の向こうに、ずらりとおもちゃの並んだ棚が見える。弥生はその店内を一瞥《いちべつ》しただけで通り過ぎようとしたが、

「……ん」

ガラス戸に貼《は》られていた張り紙に気づいて立ち止まった。おそろしく達筆な筆文字

が、半紙に縦書きで綴《つづ》られている。

「従業員募集。年齢不問。資格不問。委細……委細……」

その先は達筆すぎて読めなかったが、たぶん「面談」だろう。

そっと店内に足を踏み入れた。ビー玉、おはじき、プラモデル、銀玉鉄砲、独楽《こま》、ぴょんぴょんガエル。店の奥まで無数の商品が並んでいる。

「いらっしゃい」

ドスのきいた声がした。びくりとそちらを見ると、ヤクザのようなおじいさんが弥生を睨みつけていた。あれは作務衣《さむえ》というのだったか、甚兵衛《じんべえ》の長袖長ズボン版のようなものを着て、胸の前で腕を組んでいる。祖父の一松と、ちょうど同年代のように見えるが、声も風貌《ふうぼう》も正反対だった。

「あの――」

「おもちゃをお求めで？　姐《ねえ》さん業者の人かい？」

「あ、いえそういうアレじゃなくて、あたし――」

「一般か、すまねえな。あんまし姐さんみてえな若え人《わけ》、一般客じゃ来ねえもんだからよ。どうぞ見てってくれ。安くしとくぜ、ええ？」

ものすごい威圧感だった。最後の「ええ？」というのはいったい何の意味があって付け加えたのか。怖かったが、そのまま店を出ていくのはもっと怖かったので、弥生は商品棚に沿って奥へと進んでみた。おじいさんはついてきた。

「うちは卸問屋なんだけどな、小売りもしてんだ。何でも揃《そろ》ってるぜ、ええ？」

進んでいくうちに、あるところで棚の中身ががらりと変わった。店の奥行きいっぱいまで延びた商品棚の、ほとんど半分のスペースを占めているのは花火だった。

「もとは、花火を専門に扱ってたんだ。いまでもおもちゃ花火は得意中の得意よ。大《てえ》した品揃えだろ」

「おもちゃ花火……」

「こういうやつよ」

おじいさんは顎《あご》をそらして漠然と棚を示した。たぶん、こうした手持ちのやつを総じて「おもちゃ花火」と呼ぶのだろう。

そのおもちゃ花火のいちばん手前に並んでいたのは線香花火だった。しかし弥生が馴染《なじ》みのあるものではない。ワラのようなものの先に、黒い火薬がついている。

「スボ手《て》よ」

顔を近づけて線香花火を見ていたら、おじいさんが教えてくれた。

「関西の線香花火だ。柄の先に火薬がついてる。関東のやつはこれだ。柄は和紙のコヨリで、そのコヨリの先端に火薬が包みこまれてる。『長手《ながて》』ってえ呼び方をするがね、俺たちは」

へえ、と感心した表情をつくって振り返ると、さっきまで厳《いか》めしかったおじいさんの顔が、いつのまにか子供のようににこにこと笑っていた。

「姐さん、花火好きか」

「あ、ええ好きです。線香花火は、昔よくおじいちゃんとやりました。どれだけ長く火種を落とさないでいられるか――」

四十五度だ、とおじいさんは遮った。

「コヨリを完璧《かんぺき》に斜め下四十五度に向けたまま動かさねえことだ。そうすりゃ必ず勝てる。これ秘密だけどな。言うなよ絶対」

「言いません」

「姐さん、この線香花火見てくれよ、こっちのやつ。うちのオリジナルなんだ。綺麗《きれい》だぜ」

「オリジナルなんですか?」

「そうよ、俺と職人たちとで相談してつくるのよ。うちはおもちゃ花火のオリジナルを昔からつくってきたんだけどな、とくに難しいぜ、線香花火ってのは。火薬の量を必ず〇・〇六グラムから、せいぜい〇・〇八グラムくれえに調整しねえといけねえ。それ以上になると火種が落ちちまうんだ。なあ姐さん、あの線香花火の弾《はじ》けかた、不思議だと思わねえかい？」

　弥生が答える前におじいさんはつづけた。

「あれな、じつはいまだに解明されてねえんだ。どうしてあんなふうに弾けんのか。すげえだろ、この科学が発達した時代で、ぜんぜんわからねえんだぜ、ええ？」

　どれほど花火が好きなのだろう。おじいさんは話すごとに弥生との距離を詰めてきており、いまや弥生からほんの三十センチほどの距離で喋《しゃべ》っていた。話はとても面白かったが、これ以上距離が縮まると顔同士がくっついてしまいそうだったので、弥生は相手が話をつづける前に「あの」と呼びかけた。

「従業員、募集してるんですか？」

　おじいさんの顔がぽかんとなった。それから急に、両目が真剣なものに変わった。

「なんだ姐さん、うちで働きてえのか？」

「いえ、まだその」

「俺ぁうるせえけど、いいのか？」

「ここって、お一人でやってらっしゃるんですか？」

「そんなわきゃあねえだろ。従業員は姐さんのほかに四人もいるぜ。今日は棚卸しで、店は休みなんだ。奴《やつ》らぁ、午前中だけ棚卸し作業して帰《けえ》った」

「ああ、棚卸しで……え、あたしのほかにって」

「働くんじゃねえのか？」

途惑ったまま、弥生が「あの」とか「その」とか言っていたら、おじいさんは店の奥から脇《わき》に入ったところにある事務室へ案内してくれた。並んだデスクにはそれぞれ一台ずつパソコンが置かれていて、わりと現代風だったので驚いた。事務室の脇には応接室があり、おじいさんはそこに弥生を座らせてお茶を二杯淹《い》れた。

「俺ぁ社長の高畠だ」

「椋森弥生です」

高畠はデスクの一つからホチキスで角を留めた書類を持ってくると、老眼鏡をかけ、弥生に雇用条件を説明しはじめた。待遇は悪くなかった。社会保険完備。土日祝祭日休みで九時半から六時半までの勤務。忙しいときは若干の残業がある。正月休みと盆休み。月給は派遣社員のときのものよりもちょっとだけ高かった。しかも、少ないがボーナスあり。主な仕事は受注管理で、電話の応対からデータの入力、メーカーへの連絡、店内在庫のチェックまで行う。

「どうだい」

「いいと思います」

「いつから来られる」

「はい？」

「最初の出社はいつになるかって訊《き》いてんだ」

「あの……え、採用してくれるんですか？」

「駄目か」

「だって、あたしの経歴とかそういう」

高畠は咽喉《のど》をそらして「はっ」と笑った。

「俺ぁな、昨日今日生まれたわけじゃねえんだ、人間の質くれぇツラ見りゃわかるよ」

どうやら、たったいま再就職が決定したらしい。あれほど苦労していた再就職が。しかしもちろん実感など湧《わ》かず、弥生はただぼんやりと高畠の顔を見つめていた。高畠は老眼鏡をガラステーブルの上に放り出して弥生の目を見返し、ニ、と歯を出して笑った。

「ワードとエクセルできるよな？」

「え、あはい」

「姐さん——じゃねえ、椋森弥生さんよ」

高畠は奥歯で笑いを嚙《か》み殺すような顔をした。

「俺ぁこれでも会社の社長だぜ？　パソコンのこと知ってたって、そんなに驚いた顔することたねえだろ」

「すみません」

「交通費も出すから、自分で計算してきてくれ」

「あ、でもここなら自転車で通えるので」

「バス代出してやる。そんで定期買わねえで、雨の日以外は自転車で来りゃいいだろ。残りの交通費は小遣いだ」

五月半ばの金曜日のことだった。

その日の夜、弥生はアパートで亮の分だけ食事をつくると、初めて「おんちゃん貯金」をおろさずにおんちゃんへ行った。

「なんだ弥生ちゃん、今日はずいぶんたくさん注文するね。はい割《わ》り箸《ばし》」

「ありがと。お腹《なか》すいちゃって」

「よく働いてきたんだろ」

「そう、よく働いてきたの」

「何でさっきからニヤニヤしてんの？」

「してないよ」

しかし、自分がニヤついていることは十分に承知していた。嬉《うれ》しさを堪《こら》えることができないのだ。——が、それを鉄二に話せないのが残念だった。ここでは自分は大手建設会社のやり手キャリアウーマンなのだから。いまとなっては、そんなふうに嘘《うそ》をついてしまったことが悔やまれて仕方がなかった。

「なにニヤつきながら悔しそうな顔してんの？」

「してないって」

＊＊＊

弥生の注文したつまみを用意しながら、鉄二は心の中で「ははあん」と呟《つぶや》いていた。あの家具屋の営業マン、とうとう弥生に告白したに違いない。相手が誰であれ、女というのは好意を打ち明けられれば嬉しいものだ。いや待て。いま弥生がニヤつきながら悔しそうな顔をしたのは、自分に彼氏がいるせいで家具屋の男と付き合えないからだろうか。ということは、もしや弥生はあの男に対して——。

「まんざらでもない……?」

「え」

「いや、こっちのこと」

残る問題は、あの男が安月給だという点だ。女というのは、相手の男の稼ぎが自分より少ないと、気にするものだろうか。弥生は今年二十五か二十六か、たしかそのくらいだ。男と付き合うのに結婚を意識する年齢だろう。するとやはり、相手の年収を無視しろといってもそれは難しい。だが、しかし——。

「弥生ちゃん、男はココだぜ、ココ」

鉄二は胸を叩《たた》いてみせた。


—蓮介—

タクシーの中で携帯電話が鳴った。『大貫真絵美』という表示を見て、出るのをためらったが、ひょっとすると父親の照源に持ちかけられているマストポールとの業務提携の話かもしれない。

　蓮介は通話ボタンを押した。

『いま仕事中？』

「これから晩飯。そのあとまた会社に戻る」

『あ、じゃあいっしょに食べようよ。美味《おい》しい店見つけたんだよね』

「いや、悪いけど、もう行くとこ決まってるから」

『どこ？　私も行こうかな』

「あ……わる……ちょっ……かも……」

　蓮介は人差し指を器用に動かして携帯の送話口をふさぎ、開け、ふさぎ、開け、電波が悪くて電話が切れそうだという状況を再現すると、そのまま本当に電話を切り、電源をＯＦＦにして上着の内ポケットに突っ込んだ。

　名前だけ役員になっている真絵美が、仕事の話で連絡してくるわけがなかったのだ。それにしても、ここのところ真絵美はやけに自分と会いたがっているが、いったいどうしたというのだろう。まさか本気で、もう一度付き合おうと思っているわけではあるまい。口ではそんなことを言っているが、あれはただ自分をからかって遊んでいるだけだ。真絵美とは腐れ縁で、言っていることが本気かどうかなど簡単にわかるし、真絵美のほうだってそんなことは承知の上でからかっているのだろう。

ただ、こんなに頻繁に会いたがる理由は、蓮介にもわからなかった。一度会ってみればわかるのかもしれないが、そういう気にもなれない。

「その角、曲がってくれますか。日暮里駅のほうに」

おんちゃんの前でタクシーを降りた蓮介は、引き戸を開けようとして、ふとその手を止めた。左腕の時計を外してポケットに仕舞う。

「いらっしゃい」

店に入ると、客が一人もいなかったので拍子抜けした。前回鉄二に、来るなら金曜日がいいと言われたのを、週末は賑《にぎ》やかだから来てみろという意味だと蓮介は理解したのだが、違ったのだろうか。

「ああ、家具屋の！」

「ども」

食券機に一万円札を入れ、『生中《なまちゅう》』と『巨大明太子《めんたいこ》おにぎり』のボタンを押した。ついでに『ガタタン』という不可解な料理の名称が書かれたボタンも押した。チケットを渡しながら訊いてみると、具がいろいろと入った鶏ガラベースのスープらしい。

蓮介はカウンター席に座ろうとして、そこに割り箸が一膳《いちぜん》置かれていることに気がついた。箸袋から出されていない。誰か客が来ていて、トイレにでも入っているのだろうか。

なんとなく鉄二のほうに目を戻し、びくりとした。鉄二がカウンター越しに思いっきり首を突き出し、蓮介の顔を見ていたのだ。

「……何です？」

「いやべつに。んふふ」

蓮介に生ビールのジョッキを手渡しながら、鉄二は妙な質問をしてきた。

「お兄さん、恋人とかいんの？」

「いえ」

「好きな人とかいないの？」

「いえ」

「そっかそっか、まあそういうことにしておきましょうかねえ」

まったく意味がわからなかった。鉄二はもう一つのジョッキに生ビールを注ぎながら言う。

「もし好きな人ができたらさ、ガーンとぶつかっていきなよ、お兄さん。人間みんなおんなじなんだ。稼ぎが少ないからってビビることたねえよ。人間ココだから、ココ」

元気づけるように胸を叩かれたところで、やはり意味がわからなかった。鉄二はカウンターの向こうから、先ほどの割り箸のそばにビールジョッキを置いた。やはり客が来ていたようだ。

そのとき、至近距離から声がした。

「……何やってるんですか？」

振り向いて、ぎょっとした。

すぐそばに立っていたのは弥生だった。

「いや、べつに……飲みに来ただけ」

蓮介はカウンターに向き直った。弥生は割り箸とビールジョッキが置いてある席に腰を下ろすと、黙ってビールを一口飲んだ。横顔は、あからさまに不機嫌そうだった。

「……んん？」

蓮介と弥生を見比べて、何故《なぜ》か鉄二が首をひねる。

「何でこの店がわかったんです？」

蓮介のほうを見ず、弥生は平坦《へいたん》な口調で訊く。

「木彫りの熊《くま》があったから」

「探したんですか？」

「いや、たまたま見つけて入ってみた」

会話はすぐに途切れ、店内はしんと静まり返った。

「ええと……テレビでもつけようかね」

鉄二がカウンターの端に置かれたテレビへ腕を伸ばしたので、蓮介は急いで止めた。

「いいですよ、つけないでも。静かなほうが好きなんで」

いまはちょうど、レゴリスがスポンサーをやっている番組が放送されている時間だ。CMが流れ、下手に弥生がレゴリスの話題でも出したらまずい。自分は小さな家具屋の従業員だと言ってしまったのだ。

ふたたび、店に沈黙が降りた。

「今日はテーブルに小銭並べてないんですね」

「おたく嫌味だな」

「あなたほどじゃないと思いますけど。そういえばうちのおじいちゃんのメロンの話、理解できるようになりました？」

「いや、ならない」

沈黙は、訪れるたびにその濃度を増していった。鉄二が黙って弥生の前にいくつかの料理を出し、蓮介の前に巨大明太子おにぎりとガタタンを出し、うふんと咳払《せきばら》いをした。

「よく食うな」

「お腹すいてたんです」

「弥生ちゃんは一日働いてきたんだもんなあ。バリバリ働けばそりゃ」

「マスターっ」

「……え？」

「あ、ごめん、何でもない」

なんだかよくわからないやりとりがあり、またも店内は静まり返った。

けっきょくそれから、二人が料理を食べ終えるまで会話はなかった。食べ終わったのは同時だったが、弥生が先に席を立った。

「ごちそうさまでした。——マスター、ちょっと」

手招きで鉄二をカウンターの端に呼び、弥生は何か耳打ちした。

「え、何で」

「いいからお願い」

そのまま弥生は店を出ていこうとしたが、そのときになってようやく蓮介は写真のことを思い出した。

「そうだ、これ」

上着のポケットから上海《シャンハイ》の写真を取り出し、弥生に渡した。

「宿のおばあさんが、おたくにって」

弥生は写真を見るなりぱっと顔を明るくし、三枚しかない写真を何度も繰り返してめくった。そのたび、初めて見るように「ああ」とか「うわあ」と声を洩《も》らしたが、ふと蓮介に目を戻して言った。

「やっぱり探したんじゃないですか、この店」

「たまたまだっての」

「いまこれを持ってたのもですか？　上海からこの写真を持って帰ってきたのも？」

「そう、たまたま」

「さすが大企業の社長ともなると運が強いんですね。強運のおこぼれにあずからせてもらって、ありがとうございます」

にこりともせずに頭を下げると、弥生は写真をハンドバッグに仕舞いながら店を出て行ってしまった。

「……大企業の社長？」

振り返ると、鉄二が目と口を大きく開けてこちらを見ている。蓮介は慌《あわ》てて何か言葉を返そうとしたが、それよりも先に鉄二が言った。

「駄目だよお兄さん、いくら何でも嘘《うそ》ついちゃ。そりゃ弥生ちゃんは高給取りのキャリアウーマンかもしれねえけど、嘘ついて自分をでかく見せたって仕方ねえよ。男はココなんだから、ココ。……あ、いけね」

鉄二は口もとを押さえたが、もう遅かった。

「高給取りのキャリアウーマン……？」

蓮介は弥生が出ていったガラス戸をじっと見た。

＊＊＊

やってしまった。自分の仕事のことはあの人に話すなと、さっき弥生に言われたばかりなのに、思いっきり言ってしまった。

駄目だな俺――。

頭を掻《か》きながらも、鉄二は考えずにはいられなかった。そもそもどうして弥生はこの男に対して自分の立場を秘密にしようとしたのだろう。答えはすぐに浮かんできた。

彼女はおそらく気を遣っているのだ。二人がどうやって知り合ったのかは知らないが、この男は弥生が一流企業でバリバリ働いているということを知らない。そして弥生は、できれば知らないままでいさせたいと考えている。真実を知ってしまえば、彼が傷つくから。自分よりも弥生のほうが金を稼いでいるとわかれば、哀《かな》しむから。そう、彼女はこの男の嘘《うそ》を、ちゃあんと見破っているのだ。

「優しいんだよ……弥生ちゃんは」

にわかに熱くなってきた目頭に指を添え、鉄二は顔をうつむけたまま言った。

「でもお兄さん、弥生ちゃんがああして真実を隠そうとしたってことは、お兄さんのことを思っていたからこそじゃないかな。だって、どうでもいい相手なら、傷つけたって、哀しませたって、気にしやしないよ。そうだろ、お兄さん？」

顔を上げ、鉄二は安月給の家具屋を真《ま》っ直《す》ぐに見た。しかし相手はぜんぜんこちらを見ていなかった。もっと言えば、気にしてもいなかった。

「なるほど……それで耳打ちしたわけか」

そんなことを呟《つぶや》いている。横顔には傷ついている様子も哀しんでいる様子も見られず、まるっきり相手を馬鹿《ばか》にしているような表情が浮かんでいた。

「……んん？」

相手の心理が不可解すぎて、鉄二は首をひねるしかなかった。

――シュウメイ――

「どうも、お忘れ物のないようにお願いしますね」

ドライバーにレゴリスのタクシーチケットを渡し、シュウメイは車を降りた。スーパーに向かって歩く自分を振り返る者は誰もいない。ときおりちらりと目を向ける者はいるが、それはきっとシュウメイの上背のせいだろう。外では必ず帽子と眼鏡を身につけるようレゴリスから指示されており、いまもそうしていた。

目まぐるしい毎日だった。

葉月蓮介に連絡を取った翌日、シュウメイはもう契約書にサインをさせられていた。そしてその翌日には、広告宣伝部の人間とともにヘアサロンや服飾デザイナーのもとを回りはじめ――いまではもう、テレビや駅のポスターパネルで毎日のように自分の姿を目にする。父の嘘を知ったあの日から、たった二ヶ月しか時間が経《た》っていないとはとても思えない。日本語も、ずいぶんすんなり出てくるようになった。

ただし、生活はいまだ苦しいままだ。契約上、モデルとしての給料に成功報酬がプラスされるのは二年目以降ということになっている。もちろん現状もらえている額も決して少ないものではないが、ハンヤンの借金が大きかったため、その金のほとんどは返済に充《あ》てなければならなかった。昼はこれまで見たこともなかったきらびやかな世界に身を置き、夜になるとハンヤンのアパートへ帰る日々を、シュウメイは過ごしていた。

——父に、いい経験になるからやってみろと言われました。

急な心変わりの理由を蓮介に訊《たず》ねられ、シュウメイはそう答えた。金のためだと打ち明けることはプライドが許さなかった。

——父は、日本でいろいろな経験をした人です。いまでは成功して裕福になりましたが、それは、自分がたくさんの経験をしたからだと言っていました。

レゴリスに対して自分がついている嘘は、以前のハンヤンがシュウメイに対して見せていた虚飾とまるっきり同じだった。そのことにシュウメイは強い羞恥《しゅうち》を感じつつも、やはり自分をさらけ出すことなどできなかった。蓮介から聞いたところによると、世間ではどうやら自分の正体についていろいろと取り沙汰《とざた》されているらしい。しかし、レゴリスの人間でさえ、本当のシュウメイのことは知らずにいるのだった。

スーパーで安い食材を買って夜の家路を歩くと、やがて道の先にアパートの影が見えてきた。「謎《なぞ》の女」があんな建物に帰っていくと知ったら、世間の人々はどんなに驚くだろう。

…………。

気配を感じ、街灯の下で立ち止まった。

そっと背後を振り返る。駅から離れたこのあたりの路地には歩行者が少ない。いまも、ずっと向こうから、カートを引いたおばあさんが一人歩いてくるだけだ。

この二ヶ月のあいだ、ときおりこんなことがあった。一人で町を歩いていると、ふと誰かの気配を感じる。いや、それは視線かもしれない。はっきりとは、もちろんわからない。いつも立ち止まって周囲を見回してみるのだが、目が合う者はいない。

きっと、気のせいなのだろう。「謎の女」などと言われ、変に自分を意識してしまっているだけだ。シュウメイは苦笑して目を伏せた。

カートを引いたおばあさんは、ゆっくりとした足取りでシュウメイのほうに近づいてくる。シュウメイも前に向き直って歩き出そうとした――が、そのとき、おばあさんが道の片隅に置かれている自動販売機の陰へちらりと視線を投げた気がした。小さく首をかしげたようにも思えた。

いや、考えすぎだ。たまたまそんな仕草をしただけのことだろう。

シュウメイはアパートへ向かって歩き出した。


「遅くなってごめんね」

鍵《かぎ》を開けてドアを入ると、ハンヤンは畳に胡座《あぐら》をかいて漫画雑誌を読んでいた。

「ああ、お帰り。大変だったな、こんな時間まで」

シュウメイに笑いかけながらハンヤンが閉じた漫画雑誌は、紙がやけにごわついていて、どこかから拾ってきたものだということが一見してわかった。

「野菜炒《やさいいた》めと味噌汁《みそしる》でいい？」

「いいよ、それで。ありがとう」

ハンヤンに食事をつくるようになってから、シュウメイは和食の料理をおぼえた。中華料理や台湾料理は手間も金もかかるし、食材や調味料がどこで売られているのかもわからない。もっとも和食といっても、日本の食材と調味料を使って適当につくっているだけなので、味が正しいのかどうかは自信がなかった。ハンヤンに訊《き》こうにも、父は長いこと缶詰や安いインスタント食品ばかりを食べてきたらしく、まったく頼りにならない。

「鮭《さけ》の味噌汁って、ある？」

鮭の切り身をパックから出しながら、シュウメイは訊いた。半額のシールが貼《は》ってあったやつを、味噌汁の具に使おうと買ってきたのだ。

「味噌汁なんて、何を入れてもいいんじゃないか？」

「中国のチキンスープみたいなもの？」

「俺に訊いてもわからんよ」

「お父さん、昔は料理人だったのにね」

シュウメイは笑ってハンヤンを振り返った。そのとき——あれは天井の光の加減だったのだろうか——父の両目が、ぽっかりとひらいた二つの穴に見えた。ぎくりとして見直すと、そこにはちゃんと両目がある。

「……何だ？」

「ううん、ごめん。何でもない」

「お前は外で働いて疲れているんだから、多めにつくって、たくさん食べろよ」

あくびをしながら、ハンヤンは畳にごろりと身を倒して背中を向けた。シュウメイが料理をつくり終えるまで、ずっとそうしていた。

鮭の味噌汁は悪くなかった。

他愛《たわい》ない話をしながらハンヤンと向き合って食事をしているとき、シュウメイはいつも、これでよかったのだという気になる。裕福な父親を頼って日本へ来たつもりが、逆に、こうして生活費から食事の支度まで自分が頼られている。しかし、このほうがよかったのだ。いくら肉親であれ、誰かを安易に頼ろうとした自分が間違っていた。

「お前には、感謝しないといけないな。こんなにちゃんとしたものを食べさせてもらって」

麦茶を飲み、ハンヤンはコップの中を覗《のぞ》き込みながらぽつりと言う。

「私じゃなくて、レゴリスに感謝しないと」

いつのまにか、シュウメイはこんなことも言えるようになった。あれだけ怨《うら》んでいたレゴリスだったが、モデルの仕事は思っていたよりも楽しかったし、何より金をもらえている。借金を返済しながらではあるが、自分とハンヤンがいまこうして人間らしい暮らしをしているのは、けっきょくのところ、レゴリスのおかげなのだ。

「お前はこのまま、どんどん有名になっていくんだろうなあ」

「ならないよ。正体不明なんだもん」

「正体不明だろうが何だろうが、大したもんだ。お前は成功したんだ。とても俺の娘とは思えんよ」

ハンヤンはテーブルの向こうで目を細めてみせたが、どうしてか、視線はシュウメイのほうを向いていなかった。

——弥生——


「椋森さん、マルトミさんからの発注書、来てた？」

「さっきFAXで来てました、そこ、常岡《つねおか》さんの机に」

「あ、ほんとだ、ありがと。いや、人が増えてくれてほんと助かるよ」

営業の常岡はデスクに置かれた発注書にざっと目を通すと、スーツの上着を摑《つか》んで事務室を出ていった。

高畠商会は社長の高畠のほかに、奥さんで専務の友恵《ともえ》、営業の常岡と丸谷《まるたに》、事務の進藤《しんどう》、そして弥生の五人だった。営業の二人が事務所にいるのは朝と夕方だけなので、日中は友恵、進藤、弥生の三人で電話の応対から受注管理、店での接客までこなさなければならないから大変だ。

「椋森さん、ふりがなってどうやって付けるんだっけか？」

向かいのデスクで、進藤静也《しずや》がパソコンのディスプレイの上から首を突き出していた。

従業員の中で、静也は唯一《ゆいいつ》弥生と同年配の社員だ。営業の二人はどちらも四十代半ばだし、高畠と友恵は還暦を過ぎている。

静也は先輩だが、弥生よりも一歳年下だった。高校を出てからずっとこの高畠商会で働いているらしい。パソコンに弱く、ときおりこうして弥生を頼ってくる。しかしべつに極端な無知というわけではなく、弥生がいなくてももちろん問題はない。ただ弥生が派遣社員時代の経験から、パソコンにある程度詳しいので、こんなふうにいろいろと自分の知らない操作方法を訊ねてくるのだった。――つまりそれは、この高畠商会において「弥生がいるからこそできる仕事」がすでに生じているということで、そういった経験を派遣社員時代にずっと夢見ていた弥生は嬉《うれ》しくて仕方がなかった。もっともあまりハイレベルな貢献ではなく、せいぜいパソコンで漢字にルビを振るとか、売り上げデータをグラフ化するとか、そういった程度ではあったが。

「あそうか、まず『書式』をひらいて――」

「で、こうするだけです」

もちろん嬉しいことばかりではない。なにぶんまったく知らない業界での仕事だったので、憶《おぼ》えなければならないことは山ほどあったし、ちょっとでも憶えが悪いと高畠に厳しい声で叱《しか》られた。友恵がいつも血圧の話をして高畠の怒りを抑えてくれるからいいようなものの、彼女がいなかったらあの説教はきっと恐怖だ。なにしろドスのきいたあの声と、ヤクザのようなあの風貌《ふうぼう》で叱るのだから、知らない人が見たら警察を呼んでしまうかもしれない。

「え、これ何て読むんですか？　イノシシガミじゃないですよね？」

静也のディスプレイに「楮紙」という文字を見つけて訊いた。

「コウゾガミ。昔からある和紙の種類だよ」

楮はコウゾと読むらしい。勉強になった。

静也が小首をかしげるようにして弥生の顔を見上げた。

「椋森さん、仕事楽しい？」

「はい、楽しいです」

というよりも、嬉しかった。人間として扱われている感覚があった。「椋森さん」、「弥生ちゃん」と名前で呼ばれると、それだけで新鮮な思いがした。

「これから夏に向けて、うち忙しくなるんだ。花火の季節だからね。オリジナルの線香花火も、また新しいやつを考えてるみたいだし。もしかしたら椋森さんも、残業する日が出てくるかもしれないよ」

「大丈夫です、頑張ります。え、新しい線香花火つくるんですか？」

「そう、長手の新作をね、いま社長と職人さんたちで考えてる。あれ、たしか今日じゃなかったっけか？　みんなで試作品燃やそうなんて言ってたよ、社長が」

「燃やしちゃうんですか？」

「やるってこと、花火を」

　事務所の裏手に小さな庭がある。

　業者の収集を待つゴミ袋。高畠が以前凝っていたが、飽きて放り出したままの釣り道具。友恵のお気に入りの鉢植えたち。そういったものを全員で脇《わき》へ寄せ、高畠商会のメンバーは庭の真ん中に丸くなってしゃがみ込んでいた。夜七時、高畠のおごりで出前のざる蕎麦《そば》を食べたあとのことだった。

「角度は四十五度だぞ、四十五度」

　それぞれの手に数本ずつ線香花火の試作品を配り、最後に弥生に手渡しながら高畠は念を押した。

「そんで燃え方をよっく見ろ。綺麗《きれえ》だから覚悟しとけよ、ええ？」

　一つのマッチ箱を回して、それぞれが順番に自分の線香花火に火をつけていく。

「まあ新作っつっても、普通の人間にゃわからねえだろうがな。せいぜい和紙の種類だの、柄の長さだの、火薬の配合だの量だの包み方だの、そういったもんを、ちょこっとっつ変えてるだけだ」

自分では花火に火をつけず、高畠は逆さにしたポリバケツに腰を下ろして腕を組んでいた。従業員たちの花火を見下ろす高畠の顔は、橙色《だいだいいろ》の光に下から照らされて、いつもより皺《しわ》が多く見える。

「でも、つくるたんびにいいものになってんだ。俺ぁそう思う」

ほんの少し細められた両目に線香花火が映り、遠くの灯のようにきらきらと輝いていた。

「静也もつくりてえんだよな、花火を」

高畠に言われ、静也は慌《あわ》てたように顔を上げた。その拍子に線香花火の火種が揺れ、ぽとりと地面に落ちた。

「いえ、僕はそんな」

「花火つくるんですか？」

弥生が訊くと、静也は数秒黙っていたが、やがて新しい線香花火に火をつけながら頷《うなず》いた。

「いつか、そっちの勉強もしたいって思ってる。もちろんここで事務員として働かせてもらいながらだけどね。自分がつくった線香花火なんて、いいと思わない？　牡丹《ぼたん》、松葉、柳、散り菊……ぜんぶ自分が考えたかたちで光らせることができたら」

言葉の意味がわからなかったので、弥生は目で訊《たず》ね返した。静也はぼんやりと線香花火を見つめたままで気づいてくれず、かわりに高畠が教えてくれた。

「線香花火ってのはな、火がついてから消えるまで、四つのかたちに光るんだ。先っぽに赤い玉ができはじめるときを牡丹、火花がサアッと出ているときを松葉、その勢いが弱くなって柳、最後は散り菊になって消えんのよ」

「なんかもう、ほんと生まれ変わったみたいだよ。ねえ亮、あたし生まれ変わったみたいでさ」

「わかったよ、何回でも生まれ変わりゃいいだろ、しっつこいな。こっちはいま仕事のこと考えてんだから話しかけんなよ」

亮はどうやら会社でまた上司に絞られたらしく、弥生の高畠商会での話をまったく聞いてくれなかった。

「じゃ、気分転換にベーゴマでもする？　この前お店でもらってきたやつがあって――」

「遊んでる暇なんてねえっての」

「何もしてないじゃない」

「だから、考えてんだよいろいろ」

苛立《いらだ》ちも限界というように、亮の声が大きくなった。

「ああちくしょう……こんな姉ちゃんがほしかったよ」

亮はローテーブルの上のパソコン雑誌を引き寄せた。表紙をめくると、内側は一面広告になっていて——。

「うわ、またレゴリス」

「また？　ああ、そういや前にレゴリスの話したっけ。はああ……超きれい」

広告の真ん中でスツールに座り、品よく微笑《ほほえ》んでカウンターテーブルにそっと指を這《は》わせているのは、あの「謎《なぞ》の女」だった。どうやら亮もファンらしい。

「姉ちゃんもこういうふうに、しっとりすれば？」

「あんたそう言うけどね、あたしだって姉の話くらい聞いてくれる弟がほしかったわよ」

「じゃ親父《おやじ》とお袋につくってもらえよ、新しいの」

「馬鹿《ばか》じゃないの」

短く溜息《ためいき》をつき、弥生は床に置いたばかりのハンドバッグを摑んで玄関に向かった。こういうときに行く場所が一つしかないというのは寂しい気もするが、一つもないよりはずっといい。

「……また？」

おんちゃんの戸を開け、弥生はうんざりした。

目の前で蓮介がビールを飲んでいる。蓮介の向こうに並んで座っているのは、たしかスーさんとケンちゃんだったか。何度かここで話したことがある二人組みだ。カウンターの向こうから鉄二も身を乗り出して、四人でわいわい喋《しゃべ》っていた。

「おう、弥生ちゃんいらっしゃい」

鉄二の声で、会話に興じていたカウンターの三人が振り向いた。スーさんとケンちゃんはにっこり笑って手を挙げたが、蓮介はすぐに目をそらした。カウンターの椅子《いす》は四つだけなので、いちばん手前、蓮介の隣しか席は空いていない。

仕方なく、食券を買ってそこに座った。

「せっかく金曜日を避けたんだけどな」

ぼそりと蓮介に言われた。

「どういう意味です?」

「いや、この前、金曜日だっただろ。おたくがいたの」

むかっときたが、ここはべつに弥生の店ではない。

「お忙しいのに、よく来るんですね」

「仕事してないのに酒飲んでていいのか?」

「あたしのプライベートのこと、ここで喋らないでくださいね」

「気をつけるよ」

「何ですかその顔」

「いやべつに」

蓮介の表情には、何か含むところがありそうだった。

「これから話すことも、言わないでくださいね。じつはあたし、もう無職じゃないんです。新しい職場で働いてるんです」

小声で教えてやると、蓮介は意外そうな顔を向けた。

「小売りもやってる、おもちゃの卸問屋で。大きなところじゃないけど、素敵な職場なんです。そこで働きはじめてから、なんかもう生まれ変わったみたいで――」

亮に聞いてもらえなかったせいか、話しているうちにだんだんと気分が高まってきた。ビールで咽喉《のど》を湿らせながら、奥の三人に聞こえないよう、弥生は小さな声で、ただし感情たっぷりに新しい職場のことを喋った。

「なんていうか、ようやく自分に合った場所が見つかった気がするんですよね。仕事してて楽しいし、社長に叱られても楽しいんです。あ、叱られてるときはそれは嫌ですけど、べつに理不尽なことで叱るわけじゃないですから、うちの社長。ほんと、どうしてもっと早くあそこで働いてなかったんだろうって思います。土日とか、ぜんぜん待ち遠しくないんですよ。かえって寂しいくらいで」

「勤めはじめてどのくらい？」

「二週間弱ですけど」

「仕事に関して短期間で何か判断すると確実に失敗するぞ」

抑揚のない声で言い、蓮介は前に向き直ってビールを飲んだ。

「そういう言い方――」

先がつづけられなかった。蓮介の言葉が的を射ていることが、弥生にもわかっていたからだ。何も言い返せないかわりに、弥生はジョッキに半分ほど残っていたビールを飲み干した。

券売機で生ビールのチケットをもう一枚買って戻ってくると、蓮介はこちらに背中を向け、スーさんやケンちゃんと笑い合っていた。べつに蓮介と喋っていたかったわけではないが、その態度がいかにも自分を拒否しているように見えてまた腹が立った。しかしそれと同時に、こうも思った。——なんだこの人、普通に笑ったり喋ったりできるんじゃないか。

鉄二が出してくれた二杯目の生ビールを飲みながら、弥生は蓮介たちの会話を聞くともなしに聞いていた。

そのうちにふと、何かがおかしいことに気がついた。

「俺たちもあれだよね、銀座のいい店とか行きたいもんだよね」

「スーさん、うちだっていい店だぜ。味がいいし値段もいい」

「そういう〝いい〟じゃねえんだよ、なあお兄さん、違う〝いい〟店にも行ってみてえよな」

「行きたいもんですね」

おかしい。

「見てよこのスーツ、上下で八千円の安もんだよ、まあ丈夫でいいけどさ。あれ、お兄さんのそれ、けっこう高そうに見えるけど」

「売れ残りを格安でゆずってもらったんです。店員と知り合いだったんで」

「ああ売れ残り。どうりで俺なんかのと、ちょっとかたちが違うよな。なんか細いっていうか、するっとしてるっていうかさ」

蓮介は、スーさんやケンちゃんに話を合わせているのだった。いや、合わせているというよりも、演じている。要するに嘘《うそ》をついているのだ。

「馬鹿にして……」

弥生はジョッキの持ち手を握ったまま、じっと話に耳を傾けた。どうやら蓮介は「小さな家具屋で働く安月給の社員」という設定らしかった。——不意に弥生は、子供の頃に感じたあの苛立ちを思い出した。夏の夜、一松と亮と三人で線香花火の競争をしていたとき、祖父は決まってわざと負けた。負けてやることで、弥生を喜ばせようとした。それが弥生にはしゃくだった。あのときの祖父と、蓮介は同じような気持ちでいるのだろうか。この店に来るような普通の人たちと、こうして遊んでやっているつもりなのだろうか。

考えれば考えるほど苛立ちは増し、蓮介の楽しげな声がだんだんと耳障《みみざわ》りになってきた。弥生はビールを一口あおり、たん、とジョッキを置いた。

「何でそんな嘘つくんですか？」

三人の顔がこちらを向き、鉄二もカウンターの向こうから首を伸ばした。

「大会社の社長だってはっきり言えばいいじゃないですか。海外にも支社がある大企業の社長だって」

蓮介の嘘を暴《あば》いてやるとか、馬鹿にした仕返しをしてやるとか、そんなに強い気持ちで言ったわけではない。単に、勢いだったのだ。

「そうやって嘘ついて遊んで――」

しかし、気がつくと店内が静まり返っていた。

そしてその静けさは、ひどく長くつづいた。

「……馬鹿にしてたわけだ」

やがて、ぽつりと呟《つぶや》いたのはスーさんだった。ニッカボッカの両足を広げて蓮介に向き直り、日焼けした腕を組んで相手の顔を眺めている。

「あとで、一人で笑ってたとか？」

ケンちゃんは蓮介のほうを見ず、自分の前に置かれた漬け物を指でいじりながら言った。唇の端を持ち上げ、顔を歪《ゆが》めるようにして笑っていた。

カウンターの向こうで、鉄二は何も言わなかった。

一瞬だけ、蓮介が弥生に目を向けた。完全な無表情だった。

「ごちそうさまでした」

蓮介は席を立ち、店の出口へと向かった。引き戸に手をかけたとき、こちらを振り返ろうとしたようだが、けっきょくそのまま戸を開けて出ていった。戸が開いているあいだだけ町の気配が流れ込んできて、すぐにまた消えた。

弥生は動けなかった。こんな展開を望んでいたわけではなかったし、予想してもいなかった。スーさんもケンちゃんも、もっと気軽に、「なんだよ嘘かよ」などと言って笑うんじゃないか。そんなふうに思っていたのだ。

「あたし、べつに――」

言葉が咽喉に引っ掛かって消えた。もっとも、何を言おうとしたのかは自分でもわからない。カウンターの向こうを見ると、鉄二が黙って店の出口を顎《あご》で示した。弥生は咄嗟《とっさ》に立ち上がって店を出た。

周囲を見回したが、蓮介の姿はない。弥生は駅のほうへ向かった。電車には乗らないかもしれないと思い直し、途中で立ち止まって反対方向へ駆け出した。

一つきりの街灯に照らされた静かな児童公園に、蓮介はいた。

「あたし、まさかあんなふうになっちゃうなんて――」

隅っこにあるベンチに座り、腑抜《ふぬ》けたように自分の足先を眺めていた。

「いいよべつに。本当のことを言っただけだし」

弥生は蓮介に近づいていった。何か言わなければと思った。しかし言葉が出てこない。仕方なく、さっき感じた自分の気持ちをそのまま話した。子供の頃、誰がいちばん線香花火の火種を落とさずにいられるかを競争したこと。祖父がわざと負けていたこと。

「なんだか、それと同じように嫌だったんです。わざと相手を喜ばせるなんて、ずるいと思ったんです。馬鹿にしてると思ったんです」

蓮介は頷《うなず》いた。いや、ただなんとなく顎を引いただけかもしれない。

「おたく、その頃から成長してないんだろ」

「……どういうことですか？」

「おたくのおじいさん……それ、おたくに勝たせたかったんじゃないと思うぞ」

言っている意味がわからなかった。弥生に勝たせたかったのではないのなら、どうしてわざと負けていたというのか。

「かといって、べつに自分が負けたかったわけでもなくて、単に——」

短く考えるような間を置いて、蓮介はつづけた。

「単に、もっとずっと、近づきたかったんだと思うぞ。勝ち負けじゃなくて」

「意味がわかりません」

「だろうな」

蓮介はまた自分の足先に目を戻した。そして急に訊《き》いた。

「どうして高給取りのキャリアウーマンだなんて嘘ついてんだ？」

鉄二が話したのだろうか。弥生は言葉に詰まったが、言い訳をしても仕方がないので正直に答えた。最初は鉄二の勘違いだったこと。話を合わせているうちに、ずっとこのままでいたいと思ってしまったこと。しかし、自分はべつに本当に高給取りのキャリアウーマンになりたかったわけではないこと。

「同じだな」

「何がですか？」

「俺と、同じ」

下を向いたまま、人差し指で一回ずつ、蓮介は自分と弥生を指さした。

学生らしい若者たちが何人か、賑《にぎ》やかに喋りながら公園を通り抜けていく。その声が遠ざかると、さっきまでよりも周囲がずっと静かに感じられた。ゆるい風が吹いて、そばに生えている公孫樹《いちょう》の葉を揺らした。

「不安だったんだろ」

弥生に話しかけたのではないような、平坦《へいたん》な声だった。

「不安？」

訊き返すと、蓮介はそこに弥生がいたことを忘れていたかのように目を上げた。

「いや……得も損もしないのに人が嘘をつくときは、何かを不安に感じているときだから、そう思っただけ」

「あたしが何を不安に感じてたって言いたいんですか？」

「たとえば会社で自分が駒《こま》としてしか見られていなかったこと」

たしかに、蓮介の指摘は正しかった。おんちゃんで高給取りのキャリアウーマンを演じているとき、うしろめたさをおぼえつつも、自分はどこかに安心感のようなものをおぼえていた。安心するということは、それまで不安だったということなのだろう。

「だったら、葉月さんも何か不安だったってことじゃないですか。あたしと同じように嘘ついたんだったら」

言い当てられたことが悔しかった。蓮介に申し訳ないことをしてしまったのを忘れたわけではないが、弥生は思わず言い返した。

蓮介は言葉を返さなかった。無視されたのかと思いはじめた頃、急に口をひらいた。

「ほとんど毎晩、会社がつぶれる夢を見るんだよな」

そう言ってから蓮介は、自分の言葉を後悔するように苦々しい顔をした。

「まあ……たぶん、おたくにはわからないだろうけど」

弥生と目を合わせないまま、つけ加える。

「それ、よく言われます。お前にはこんな気持ちはわからないだろうとか、お前には悩みなんてなさそうだとか。子供の頃から、ほんとによく言われます」

「だろうな」

「言われるたび、傷つきます」

声の最後が、自分で嫌になるくらい弱々しいものになった。ふと顔を上げた蓮介に、弥生は無理に強い声でつづけた。

「いまも、傷つきました」

小さな羽虫が一匹、蓮介と弥生のあいだを横切っていく。目で追うと、羽虫は急に高いところへ飛んでいき、ポールの上で光る街灯の中に溶け込むようにして見えなくなった。眩《まぶ》しさに目を細めたら、視界の中心で街灯が微《かす》かに滲《にじ》んだ。

先ほどの蓮介の言葉を、弥生は考えた。一松がわざと線香花火の競争に負けていたのは、弥生に近づきたかったからだと蓮介は言った。勝ち負けではなく、単に近づきたかったのだと。おんちゃんの店内で聞こえていた、蓮介の楽しげな声が思い出された。

「線香花火の競争って、よく聞くけど」

急に、蓮介が言った。

「俺、あれ一度もやったことがないんだよな。両親が商売やってて忙しかったから、いっしょに花火なんてできなかったし……引っ込み思案で、友達と花火やっても、余ったやつを手にとって隅っこでやってるような子供だったから」

顔を上に向け、蓮介は疲れたように首を回す。

「懐《なつ》かしいな、花火なんて」

「今日、あたし花火やったんですよ。さっき言った、勤めはじめた職場で」

「職場で花火やったのか？」

「庭ですよ。お店の裏に庭があるんです。あたしも花火なんて久しぶりでした」

少し迷ったが、弥生は訊いてみた。

「……やります？　花火」

冗談だと思ったのか、蓮介は肩を揺らして声のない笑いを返しただけだった。

「やりませんか？」

「どこにあるんだよ」

「ここにあるんです」

「どこ」

「ここ」

弥生はハンドバッグの中から線香花火を取り出した。帰《かえ》り際《ぎわ》、高畠が試作品を持たせてくれたのだ。全部で五本ある。

「ライター持ってます？」

弥生の線香花火を見て驚いた顔をしたまま、蓮介は上着のポケットからライターを出した。

ベンチと向き合う恰好《かっこう》でしゃがみ込み、弥生は線香花火の先に火を近づけた。微かに揺れるコヨリの先で、じりじりと小さな炎がくすぶった。やがて先端がほんのりと赤く光りはじめ、その赤い部分から、ぱっと最初の火花が散った。二つ、三つ、四つ五つ六つ——火花は見る間に数を増し、鼻先に火薬の匂《にお》いがふわりと立ちのぼると同時に、人差し指と親指のすぐ下で、音もなく光の鞠《まり》が生まれた。

蓮介も、線香花火に火をつけた。

「これ、うちの会社のオリジナルなんですよ」

「うちの会社ね」

「いいじゃないですか、そう言っても。二週間近くも勤めてるんですから。四十五度に保って、手を動かさないようにするんですって。それがいちばん火種を落とさずにいられる方法だって社長が言ってました。——あ、人に喋《しゃべ》るなって言われたんだけど」

「普通に考えればわかることだから、平気だろ」

蓮介は小さく笑い、その動きで線香花火が揺れた。火種が危うくなったので、慌《あわ》てて笑いを引っ込めた。

「花火って、この火薬の匂いもいいですよね」

返事がなかったので蓮介のほうを見ると、彼は生真面目《きまじめ》な顔で自分の手元を睨《にら》んでいた。さっきまでは真下に向けられていた線香花火が、いまはぴたりと四十五度を向いている。

「そういや、俺むかし、変な夢見たことあるな。小学校の……三年生か四年生か、そのくらいの頃」

手の揺れが気になるのか、蓮介は線香花火を持った右手に左手をしっかりと添えながら言った。

「変な夢？」

「俺、その夢の中で、時間を止めることができたんだ。あのころＳＦ漫画よく読んでたから、そんな夢見たのかもしれないけど」

「時間を止めて何したんですか？」

「花火」

その答えが意外だったので、弥生は思わず顔を上げた。視界の下側で、ぽとりと火種が地面に落ちて消えた。

「一人で、ぜんぶやってみたくてさ」

蓮介の見た夢というのは、こんなものだったらしい。

時間を止める能力を持った蓮介は、それまでずっとやってみたかったことをやろうと考えた。両親と花火で遊んだことがなく、友達とやっても、いつもみんなが手に取らなかった地味なものでしか遊べなかった蓮介は、一度でいいから花火を一袋、一人でぜんぶ燃やしてみたかったのだという。

夢の中で、蓮介は時間を止めてスーパーに入り、マネキンのような人々のそばをすり抜け、びくびくしながら花火とライターを手に入れた。そして近所の公園へと走った。まだ日が高かったので「夜になれ」と念じたら、夜になった。

「すごいですね」

「夢だからな」

あたりが真っ暗になったところで、蓮介はパックの中から花火を取り出して火をつけようとした。が、時間が止まっているせいで火がつかない。仕方なく時間の流れをもとに戻すことにした。「動け」と念じた瞬間、世界はふたたび動き出した。

夜の公園で、蓮介は花火を楽しんだ。何本も何本も。好きなやつを次から次へと選んで火をつけた。

「楽しかったことは楽しかったけど、思ってたほどじゃなかったな」

「何でですか？」

「……何でだろ」

そのうち、残っているのは線香花火だけになった。地味なのであまり好きではなかったが、仕方なくそれを一本抜き出して火をつけた。単調に弾《はじ》ける光を見ていると、不意にどこかで母親の声がした。

「スーパーで万引きしたこととか、夜遊びしてることとか、ばれて叱《しか》られると思った。だから俺、とっさにまた『止まれ』って念じてさ」

そのとき見た線香花火の美しさを、いまでも憶《おぼ》えているのだという。

線香花火は蓮介の手元で、繊細な飴細工《あめざいく》のように停止していた。光の線が枝分かれし、それがまた無数に枝分かれして、全体として綺麗《きれい》な球形をかたちづくっていた。呆然《ぼうぜん》としながら、蓮介はそっと花火に触れてみた。熱くはなく、どちらかというと冷たい感じだったという。細かな光の鞠の端を、掌《てのひら》でちょっと押してみると、線香花火はぱりぱりとガラスが割れるような音をさせながら崩れていった。

息をするのも忘れるほど、綺麗だったそうだ。

「あんな夢、もう見ないよな」

いつのまにか、蓮介の線香花火も終わっていた。弥生はもう一本の線香花火を抜き出して渡し、自分も新しい一本に火をつけた。

「かわりに、会社がつぶれる夢ばっかり見る」

花火の光に照らされて浮き出しているのは、いつもの自信に満ちた蓮介の顔ではなく、まったく別人の、とても哀《かな》しげな男の顔だった。

「四つの十円玉が並んでるのを見ても、それがアメンボだなんて思えなくなったしな」

「大人になったら、きっと、しょうがないんですよ」

本心ではなかった。ただ、言うべき言葉を思いつけなかっただけだ。蓮介もまた、たぶん本心ではなく答えた。

「まあ、そうなんだろうな」

二人の花火が消えそうになったとき、弥生は高畠商会で聞いた話を思い出した。

「ねえ知ってますか、この線香花火が燃えていくのって、四つの段階に分けて、それぞれ呼び方があるんですよ。牡丹、松葉、柳、散り菊っていうらしいです。うちの社長が教えてくれました」

「牡丹、松葉、柳……何？」

「散り菊です」

「散り菊」

蓮介が繰り返したとき、ぽとりと彼の火種が落ちた。つづいて弥生の火種も落ちてしまった。

「これ、最後です。やっていいですよ」

残る一本の線香花火を、弥生は蓮介に差し出した。断られるかと思ったら、蓮介は素直に受け取って、ライターで火をつけた。

じじじ、とコヨリの先が赤くふくらんだ。

「これが牡丹？」

「たぶんそうです、赤い玉ができはじめてるときだから」

「なるほど……お、いま松葉かこれ」

「もうちょっとじゃないですか？」

「もうちょっとか」

しっかりとコヨリを斜め四十五度の角度に保ったまま、蓮介は橙色《だいだいいろ》の光を両目に映し、じっと花火を見つめていた。弥生も同じ花火を見つめながら、蓮介が見た夢のように、それが飴細工みたいに固まったところを想像しようとした。しかし、目の前の線香花火がとても綺麗で、なかなかうまくいかなかった。

第三章　想《おも》いのはじまり／嘘《うそ》の終わり

——蓮介——


「……で、値下げを？」

U字型の会議テーブルの中央で蓮介が訊《き》き返すと、たったいま発言した役員、遠沢《とおざわ》の頬がひくりと動いた。一年前にアパレルメーカーから蓮介が引き抜いてきた、マーケティングのプロフェッショナルである四十代後半の男だ。創業以来、レゴリスは外部から彼のような執行役員を引き入れることでノウハウを吸収し、経営基盤を強固なものとしてきた。

「はい、検討すべきかと」

声を押し出すようにして遠沢は言葉を返した。

「どうして？」

「ですから、いま申し上げたように、今年に入って他の家具メーカーが相次いで安値の商品を――」

蓮介が背もたれから身を離して上体を前傾させると、遠沢はぴたりと言葉を切った。

「遠沢さん。もう十分に御存知でしょうが、もう一度確認させてください。営業力と宣伝力、コスト管理と商品開発――レゴリスはこの十年間、それ以外の武器では一度も勝負を挑んでこなかった。だからここまで来ることができた」

蓮介は会議テーブルを右手の指先で数回叩《たた》いた。

「御存知ですよね？」

遠沢は黙って顎《あご》を引いた。そのときの目の弱さから、この男はもう長くないかもしれないと蓮介は思った。外部から代わりの人間を引っ張ってくる準備をしておいたほうがいいだろう。

「御存知であれば、いまから値引きの消耗戦に参加するなどという発想がどこから出てくるのか僕には理解できません。他社との共倒れ以外の結果があなたに見えているというのなら、それを教えてください」

言葉を探しているのか、探した言葉の中から一つを選ぼうとしているのか、遠沢は唇に僅《わず》かな隙間《すきま》をあけて蓮介の顔を見返していたが、やがて小さく頷《うなず》いて目を伏せた。

「ほかにご意見のある方は？」

と、隣に座った雉畑が会議を進めた。

「よろしいですか」

肩の辺りまで手を挙げたのは、京浜倉庫に配置転換させた嶺岡の後任として営業本部長に就かせた寺門《てらかど》だ。ＯＡ機器を扱う大手商社のトップセールスマンだったのを、これも蓮介が三年前に引き抜いてきた。まだ三十代半ばだが、営業力と企画力に長《た》けた男で、営業本部の頭を彼にすげ替えたその月から、期待以上の結果を生んでくれていた。

「前任の、嶺岡さんの件で」

嶺岡の急な配置換えにより、動揺している営業員が数名いるのだと寺門は言った。

「何らかの措置をとられるべきかと思います。もちろん私のほうからも何度となく社長のお考えを伝えたのですが、やはりいちばん効果的で即効性があるのは社長からの直接のお言葉ではないかと」

「安定や安心を求めることは弱さそのものだ。弱い人間はレゴリスには必要ない」

蓮介が声を張ると、寺門は顎を上げて咽喉《のど》もとを緊張させた。

「……と、伝えてください。僕は自分の考えがより正確に現場の営業員たちへ伝わることを期待して、あなたに部長という立場を与えた。僕から直接営業員たちに説明しろと言うのなら、期待はずれということになります」

寺門は蓮介としばらく視線を合わせていた。強い目だった。まだまだ彼はレゴリスの中で大きくなる——蓮介はそう判断した。

「失礼しました」

はっきりとした声で言い、寺門は視線を外した。

「ほかに発言のある方は？」

雉畑が会議テーブルに並んだ面々を見渡した。それぞれが小さく頷き、あるいは逆に首を横に振って応《こた》えた。

「終了します」

朝の定例会議は終わった。

出席者たちが出ていった会議室で、蓮介はなおしばらく資料を睨《にら》んでいた。売り上げデータ。店舗ごとのバランスシート。他メーカーが販売する商品の価格表も、実際のところ、もうすべての数字を暗記するほど目を通していた。

ふと、手元のコーヒーカップに目を移す。ブラインドの隙間から射《さ》し込んだ光が、コーヒーの表面に反射して曖昧《あいまい》な模様を描いている。

「牡丹……松葉」

弥生から聞いた線香花火の光の呼び方を、なんとなく思い出した。

「柳……散り菊」

「何それ」

いきなり声がしたので驚いて振り返ると、相手も驚いた顔をした。

「え、ぜんぜん気づいてなかったとか?」

「お前さっき出ていかなかったか?」

「ボールペン忘れて取りに来た。いや、よく見たらワイシャツのポケットに刺さってたんだけど」

風見だった。

風見とは五歳離れているが、学生時代からの付き合いだ。蓮介が高校生のとき、富山駅近くのゲームセンターでテトリスをやっていたら、ゲームの邪魔になるほど画面に顔を近づけて熱心に観戦している制服姿の中学生がいた。それが風見だった。その日から風見は、蓮介の何が気に入ったのか知らないが、いつもあとをくっついて歩くようになった。蓮介が大学に入ってからも、レゴリスを興《おこ》してからもくっついて歩き、しまいには激安の給料で構わないからと入社を願い出た。ためしに営業として使ってみたら、猛烈に数字を稼いでみせたので驚いた。そのまま営業として雇いつづけようと思った矢先、宣伝の仕事がやりたいと言い出した。蓮介はもちろん却下したが、風見は営業をつづけながら勝手に宣伝のプランニングをしはじめ、ある日社長室へやってきて一人でプレゼンテーションを行なった。——翌月付で、蓮介は風見を広告宣伝部へと異動させた。いまでは同部署のトップとして働き、レゴリスにとってなくてはならない存在となっている。

雉畑を除けば、風見はこのレゴリスの中で唯一《ゆいいつ》蓮介が厳しく叱責《しっせき》することのできない社員だった。しかしそれはべつに、風見との付き合いが長いからではなく、別の理由がある。

「で、何なの？　さっきのボタンとかなんとか」

「上海《シャンハイ》の飲み屋で会った女の子、憶《おぼ》えてるか？」

「アメンボちゃん？　パーティのとき蓮さんに噛《か》みついた子だよね」

「言ったか俺」

「パーティの途中で真絵美さんから聞いた」

「そのアメンボから教えてもらった話があってな。いや、こっちに戻ってきてから、たまたま飲み屋で会ったんだけど——」

蓮介は風見に線香花火の話を聞かせてやった。聞いているあいだから、風見の顔に浮かんでいた笑いが何故《なぜ》か消えていき、それにかわってだんだんと生真面目《きまじめ》な色が浮かんできて、話し終える頃には両目が真剣そのものになっていた。

「使えるよそれ！」

ぐいと顔を近づけられ、思わず上体を引いた。

「使える……何に？」

「面白いよ、ぜったい面白い！」

風見は宙を睨み、興奮を抑えるように唇に拳《こぶし》を押し当てた。

「シュウメイ、けっこう浴衣《ゆかた》似合いそうだな……生地は寒色系で、帯は赤で……いや臙脂《えんじ》か……」

ぶつぶつと呟《つぶや》きながら、ゆっくりと身体《からだ》を反転させて蓮介に背中を向ける。声をかけようとしたら、そのまま部屋の出口のほうへと歩いていってしまった。歩調が徐々に速まっていき、廊下に出るときにはほとんど駆け足になっていた。

ふたたび静かになった会議室で、蓮介は冷めたコーヒーを一口すすった。おそらく風見は明日にでも何か具体的な報告をしに、自分のところへ来るだろう。

蓮介が風見に厳しい態度をとることができないのは、放し飼い状態にしたときに彼が発揮する力を誰より知っているからだった。

―シュウメイ―


レゴリスから振り込まれる報酬の大部分を、シュウメイは借金の返済に回していた。そのおかげで闇金融への負債は残り僅かとなり、完済はもう目前に迫っている。

「今月、二人で頑張って、なるべくお金を使わないでいれば、来月にでもぜんぶ返済できるかもしれないね」

「ああ、そうなってくれそうだな」

朝食の白米と目玉焼きを食べながら、ハンヤンはどうしてか虚《うつ》ろな目をしていた。

「お父さん、お金、ぜんぶ返せるんだよ？」

「わかってるよ……ありがたいことだ」

ようやく顔を上げ、ハンヤンは微笑《ほほえ》んだ。いや、それはただ目を細めて頬を持ち上げただけだった。

「どこか、具合悪い？」

訊くと、ハンヤンはゆっくりと首を横に振った。何か言葉を返すかと思ったら、そのまま箸《はし》を動かしはじめる。

深夜に見た父の姿を、シュウメイは思い出した。

午後いっぱいスタジオでカメラのフラッシュを浴びていたせいか、昨夜、シュウメイの眠りはひどく浅かった。うつらうつらしながら、夢を見はじめたかと思えば目を醒《さ》まし、寝返りをうってはまた目を閉じた。あれは何時頃だったのだろう——何度目かの夢が遠ざかり、シュウメイが薄く両目をひらいたとき、ハンヤンの上半身が見えた。隣に並んだ布団《ふとん》の上で、上体を起こして座り込み、いったい何をしているのかと思えば……何もしていなかった。薄いカーテンが路地の街灯をすかし、ハンヤンの姿はぴくりとも動かない一枚の影絵になっていた。寝ぼけているのだろうか。しかしハンヤンは両目を見ひらいていた。何か極端に大きなものでも見ているような目で、ただ闇を睨んでいた。声をかけようと思ったが、ふたたび眠気がやってきて、けっきょくシュウメイはそのまま目を閉じた。朝になってハンヤンに、あれは何をしていたのかと訊いてみると、黙って首を横に振られた。

「身体がおかしかったら、病院行くんだよ。私、もうすぐ出かけちゃうからね」

今朝早くに広告宣伝部の風見から電話があり、レゴリス本社に呼ばれたのだ。新しい広告についての打ち合わせをしたいので、なるべく早く来るようにと。

ハンヤンが口の中で何か言った。

「……何？」

「わかってると言ったんだ」

ひどく尖《とが》った声だった。そのことにハンヤン自身も驚いたように、一瞬表情を固まらせ、すっと目を伏せた。

「すまんな、シュウメイ……歳《とし》をとると、人間はたいがい扱いにくくなるもんなんだ。気にしないで、仕事がんばっておいで」

箸を置き、ハンヤンはトイレに入っていった。


「知っています、紙捻烟花《ジーニエンイエンファ》。でも火がついてるところを見たことはありません」

レゴリス本社の打ち合わせスペースで、シュウメイは風見と向き合っていた。風見は中国語も話せるが、仕事の会話はたいてい日本語だった。シュウメイが、そうしてくれと頼んだのだ。おかげで日本語は、もうほぼ間違えず喋《しゃべ》れるようになった。

「ああ、中国では日本への輸出用のやつでも作ってるのかな。まあいいや。——で、その線香花火をやってもらいたいんだ、シュウメイに。浴衣を着て」

それがどうして家具の宣伝になるのか、シュウメイにはさっぱりわからなかった。

「蓮さんもいま来てくれるから、いっしょに説明するよ。あ、来た来た」

打ち合わせスペースに入ってきた蓮介はシュウメイに軽く笑いかけた。

「寝不足？」

「はい。でも、少しです」

「うちの大事な看板なんだから、身体を壊さないように」

シュウメイのことを素直に心配してくれている言い方だった。もちろん仕事への影響を考えての言葉なのだろうが、蓮介が本当にシュウメイを大事に思ってくれているのは、こうして接するたびに伝わってくる。きっと、それだけシュウメイが会社の役に立てているということなのだろう。シュウメイを起用した広告の効果が、いまはずいぶん出はじめたようで、蓮介は幾度となく感謝の言葉をかけてくれた。

しかし、感謝しなければならないのはやはりシュウメイのほうだった。彼や風見が上海でモデルの話を持ちかけてこなかったら、いまごろこの日本で自分はどうなっていただろう。一文無しのハンヤンのもとに、同じく一文無しの娘が転がり込んで、二人はどうなっていただろう。——感謝の言葉を伝えたかったが、自分の本当の生活のことを隠しているので、それができないのがもどかしかった。シュウメイはいつも、心の中でそっと手を合わせていた。

「蓮さん、シュウメイの隣に座ってくれる？　デモつくってきたから見てほしいんだ」

風見がノートパソコンを操作し、画面をシュウメイと蓮介のほうへ向けた。

「何のデモだよ？」

「昨日のほら、線香花火の。あれからすぐスタジオにスタッフ集めて撮って、俺が徹夜で編集した」

蓮介は状況がわかっていないようで、訝《いぶか》しげな顔のままモニターを覗《のぞ》き込む。

動画が再生され、男性の声が聞こえてきた。

『牡丹……松葉……柳……散り菊……』

BGMのない、極めて静かな映像だった。

『日本人は線香花火が燃えていく様子を、そんなふうに表現しました』

浴衣姿の女性が細かく弾《はじ》ける金色の火花を見つめ、そこに穏やかな調子のナレーションが入っている。これが線香花火――なんて綺麗《きれい》なのだろう。燃えていく線香花火の映像の脇《わき》には、背景を透かすかたちで、牡丹の花や松葉、柳の枝葉、散り際《ぎわ》の菊の花が映り込んでいた。その陰影の美しさに、シュウメイは息を呑《の》んだ。

『皆さんには、これが何に見えますか？』

そんな字幕とともに画面が切り替わり、CGで描かれた四角い板のようなものが映し出される。ふたたびナレーションが入った。

『私たちには、家に帰り着いた人たちが、笑顔を並べる場所に見えます』

四角い板はレゴリス製のダイニングセットへと変わる。家族がテーブルを囲んで食事をしている。

『レゴリスは、そんな人間の集まりです。私たちがお届けしたいのは、家具ではありません』

ナレーションの終わりとともに、画面はまた最初の状態へと戻った。浴衣姿の女性。やがて溶暗し、レゴリスのロゴが現れて映像は終わった。

「あくまでデモだから、これから細部を詰めていく」

ノートパソコンの向こうで風見が言った。

「で、これをシュウメイにやってもらう。浴衣着て、花火持ってもらって」

翌日、シュウメイは風見と広告宣伝部のスタッフにスタジオへ連れて行かれた。そこにはCM制作会社の面々がすでに到着していて、ものすごい数の線香花火と、色とりどりの浴衣が用意されていた。

「シュウメイが着る浴衣もアイキャッチのポイントになるだろうから、今日はそれを決める。これぜんぶ着てもらうよ」

浴衣を身につけるのなんて初めてだった。線香花火も、この手で触ったことは一度もない。シュウメイは知らない遊び場へ連れてこられた子供のように胸が弾んだ。

「じゃ、セットつくっちゃってくれる？　まずは前回のデモ録《と》りのときとまったく同じで」

風見の指示で、スタッフたちが一斉にカメラや照明の準備をはじめた。

くすんだ紫は鳩羽色《はとばいろ》、薄い藍《あい》は浅縹《あさはなだ》、濃い灰色は黒橡《くろつるばみ》……風見に説明されて、日本にはたくさんの色の名前があることを知った。それらの色に染められた高級そうな浴衣や帯を、シュウメイは代わる代わる身につけ、カメラの前で線香花火を燃やした。照明は限界まで絞られ、シュウメイの浴衣や顔は、ほとんど花火の光だけで照らされる恰好《かっこう》になった。五分間の休憩がとられたとき、モニターでテスト映像を見てみたら、それが自分だとは思えないほど綺麗だったのでシュウメイは驚いた。

「あれ、蓮……社長」

休憩後、また作業のつづきをはじめようとしたところで蓮介がスタジオに入ってきた。風見が気づいて声をかけると、スタッフにさっと緊張が走った。

「移動中だけど、少し時間が空いたから。いいよ、つづけて」

蓮介は手近な椅子《いす》に腰を下ろし、スタッフの一人がモニターを彼の近くまで引っ張っていった。

シュウメイが何着もの新しい浴衣に着替え、暗がりで線香花火を燃やしているあいだ、蓮介はじっとモニターに見入っていた。もちろん会社の新CMをつくろうとしているのだから、社長が真剣になるのは当然だ。しかし蓮介にそうやって見られていると思うと、なんだかお世話になった先生の前で学芸会の主役を演じているようで、落ち着かなかった。

「蓮さんがあんな顔してるの、珍しいよ」

花火の持ち方について指示をしに来た風見に、耳打ちされた。

「そうなんですか？」

「まったくいいモデルを掘り出したもんだなあ……なんて思ってるんじゃないかな。あんまりうちの社長の気を引きすぎないでね、いま会社が大事なときなんだから」

こっそり笑い、風見はシュウメイの肩を軽く叩《たた》いて戻っていった。

また別の浴衣に着替え、カメラの前でしゃがみ込んだ。スタッフが新しい線香花火に火をつけてシュウメイに手渡した。音もなく弾け散る花火に顔を向けながら、シュウメイはそっと蓮介のほうを見た。蓮介は相変わらずモニターにじっと見入っている。カメラは別のアングルからシュウメイをとらえているので、自分が相手に見られていることに蓮介は気づいていなかった。

＊＊＊

モニターを見つめながら、蓮介は弥生のことを思っていた。

夜の児童公園で線香花火を燃やしたあの時間が、どうしてか胸に強く印象づけられていたのだ。

弥生に話した線香花火の夢——彼女と会ってから、これで二つ、忘れていた昔の出来事を思い出したことになる。ここ何年ものあいだ、蓮介が思い出す過去といえば、川っぺりのおじさんの死や、レゴリスの立ち上げ当初に経験した苦難ばかりだった。いや、思い出すという言葉は適当ではないかもしれない。何をしていても、それらはいつも頭の片隅にあった。そしてときおり、何の前触れもなくふっと眼前に広がっては蓮介を不安にさせてきた。

弥生と顔を合わせているときは、そんな思い出の影が、ほとんど見えないほどにまで薄まってくれる。そのかわり、ずっと忘れていた懐《なつ》かしい光景が鮮明に見えてくる。

小さく息を吐き、蓮介は首を振った。

好ましい思い出は人を弱くする。これまで哀《かな》しみや苦難ばかりを思い出してきたからこそ、自分は前を向いて歩いてくることができたのだ。いまのレゴリスがあるのは、その結果にほかならない。

「じゃ、この三パターンに絞ろう」

風見が声を張った。採用する浴衣《ゆかた》の柄が決まったらしい。

「社長、チェックしますか?」

訊《き》かれたが、黙ってかぶりを振った。広告の内容については風見を信頼して任せてある。

「こうなったら、線香花火にもこだわりたいよな」

機材の片付けを手伝いながら、風見がスタッフの一人に向かって呟《つぶや》いたのが聞こえた。線香花火の種類にはどんなものがあるのか、どこに行けば揃《そろ》っているのか——そんな話をしている。

「オリジナルでいくか」

ふと、言葉が口をついて出た。

「オリジナル？」

風見が不思議そうな顔で振り向いた。

「線香花火でそんなのつくれる……んですか社長？」

「心当たりがある」


――弥生――


「おう、アメンボちゃん」

「あどうも……アメンボじゃないですけど」

「弥生ちゃんだよね。俺、野方風見。よろしく」

店にやってきた三人組を見て弥生は驚いた。レゴリスの人間が来ることは聞いていたが、「広告の部署の連中が」と高畠は言っていたのだ。まさか社長の蓮介まで来るとは思わなかったし、それに、もう一人のあの――。

「こちら、謎《なぞ》の女」

背後に立っていた長身の女性を、風見が片手で示した。黒いセルフレームの眼鏡と、あれはチロルハットというのだったか――山高帽に似たフェルト製の可愛らしい帽子を被《かぶ》っている。ほんのりと口もとに微笑を浮かべながら、彼女は弥生に会釈《えしやく》した。

「リュウ・シュウメイです」

「というのは極秘だからね、弥生ちゃん」

レゴリスの広告に出ているあの女性だった。帽子や眼鏡で軽く変装しているので、町ですれ違っても気づかなかっただろうが、蓮介や風見といっしょにやってきたことからすぐにわかった。

そうか、やはり日本人ではなかったのか。鉄二の想像は当たっていたようだ。

「高畠社長は?」

訊きながら、蓮介がちらりと弥生の恰好を見た。ちょうど商品棚を整理していたので、弥生は薄汚れた前掛けをつけていた。

「いま呼んできます」

さり気なく前掛けを外しながら、弥生は事務室へ引っ込んだ。

会社の広告に使う線香花火をオリジナルでつくってもらえないかと、レゴリス広告宣伝部の人間から連絡があったとき、高畠はきっぱり断ったらしい。うちの花火は燃やして楽しむものだと。しかしその後、社長の蓮介から電話があった。蓮介に根気よくコンセプトを説明され、とうとう高畠は「口説かれちまった」のだそうだ。

応接室へ三人を通した。

弥生は商品棚の整理に戻り、それが終わると事務室でデスクに向かったが、応接室からときどき高畠の「うはははは」とか「だはははは」という笑い声が聞こえてくるので気になった。

「何を盛り上がってんだろうね」

向かいのデスクで静也が首をひねる。弥生が首をひねり返したとき、応接室の扉が開いてシュウメイが出てきた。弥生と静也は二人してとっさにシャキンと立ち上がった。シュウメイは帽子と眼鏡を外しており、見慣れた事務室の中で、その美しさはほとんど非現実的だった。

「あの……いいですか？」

「はい？」

二人は同時に訊き返した。

「高畠社長さんに、日本のおもちゃを見たことがないと言ったら、たくさんあるから見てこいと言われました。誰かに、案内してもらえと」

「あ、じゃあ」

弥生は静也を振り向いたが、静也は硬直したままぶるぶると首を横に震わせた。

「僕いまちょっとアレだから」

「でも」

「無理」

弥生がシュウメイを案内することになった。

シャボン玉。パチンコ。万華鏡《まんげきょう》。おはじき。ビー玉。おばけけむり。シュウメイは棚に並んだおもちゃを珍しげに手にとって、一つ一つ眺めては、そばを歩く弥生をときおり振り返り、日本人なら誰でも知っているようなことを訊いてきた。高級そうな香水の香りが鼻先に漂い、澄んだ声が耳に心地よく、弥生はなんだか高畠商会によく似た場所の夢でも見ているような気分だった。このことをどうやって亮に自慢してやろう。シュウメイのことは極秘だと言っていたが、弟に話すくらい構わないだろうか。

「それ、何ですか?」

ふと、シュウメイが腕に嵌《は》めているアクセサリーに目が留まった。ガラスでできているのだろうか——直径一センチほどのビーズ状の玉が連なって、真ん中の穴に細い紐《ひも》が通してある。一つ一つの玉は、ちょうど皮を剝《む》いたミカンのかたちに似ているが、色は澄んだ青だった。

シュウメイが中国語の発音で何か答えたが、よく聞き取れなかった。

「リウ……？」

「リウリジューです。台湾で昔からつくられている、アクセサリーです」

シュウメイは周囲をきょろきょろ見回すと、何を思ったのか、棚の奥にあったオートバイのプラモデルの箱へ手を伸ばした。かなり前から売れ残っているもので、箱はうっすらと埃《ほこり》を被っている。シュウメイはその埃の上に、細くて綺麗《きれい》な指先で『琉璃珠』と綴《つづ》った。

「こういう字です」

「シュウメイさん、指が」

「平気です」

シュウメイは指先についた埃を掌《てのひら》で軽く払った。それでもまだ埃が残ったので、今度は無造作にロングスカートの布地にこすりつけ、弥生に顔を向けてにっこりと笑った。

普通の人なんだ、と思った。

「面白いかたちですね」

弥生が腰を落として腕輪を覗《のぞ》き込むと、シュウメイは自分もしゃがみ込み、弥生と顔の高さを合わせた。

「琉璃珠にはいろいろなかたちがあります。それぞれ意味が違います。これはユエヤの玉といいます。ユエヤは、月の牙《きば》と書きます」

シュウメイは弥生に、台湾に伝わる「月牙《ユエヤ》の玉」の由来を話してくれた。難しい単語を避けながらではあったが、シュウメイの日本語は流暢《りゅうちょう》だった。

昔々、ある村に美しい娘が住んでいた。彼女にはたくさんの求婚者がいた。あるとき彼女はその中から新郎を選んで結婚をしたのだが、結婚式の翌朝、不幸なことにその新郎は死んでいた。彼女は別の人とふたたび結婚をするが、その新郎もまた結婚式の翌朝に死んでしまう。もう一度結婚をしたが、やはり同じことになった。あるとき、新たな一人の青年が彼女と結婚することになるが、彼はそれまでの男たちと違い、彼女の容姿だけではなく、その内面に惹《ひ》かれた。結婚式の夜になった。二人が並んで寝ていると、彼女の口から牙が生えてきて、彼に襲いかかってきた。が、牙は彼の身体《からだ》に触れると、音もなく抜け落ちたのだという。

「その牙が、玉に変わりました。それが、この月牙の玉です」

「へええ、恰好《かっこ》いい……」

皮を剝いたミカンのように見えていた玉だが、これは牙が並んだ様子をあらわしているのかもしれない。

「この玉は、女性の……」

シュウメイは小さく首をひねった。どうやら日本語が思い出せないらしく、「ズーズンシン」と聞こえる中国語を呟いた。弥生がとっさに先ほどのプラモデルの箱を差し出すと、シュウメイは嬉《うれ》しそうに頰を持ち上げて、指先で『自尊心』と書いた。

「ああ、自尊心。プライド」

「そうです、女性のプライド、という意味が、この玉にはあります」

「その琉璃珠って、ほかにもいろいろ種類があるんですか？」

「あります、たくさん」

「いいなあ……でも高いんですよね、きっと」

「高くないです。これなんて、すごく安い。小学生のお小遣いで買えます」

「どこに行けば売ってます？」

「日本では、あまり売っていないと思います。でも、上海から持ってきたものが、私の家に何個かあります。あなたに一つあげましょうか？」

「え、嘘《うそ》」

「本当です」

シュウメイは白い歯を覗かせて笑った。

信じられなかった。「謎の女」から、まさか自分がプレゼントをもらえることになるとは。いや、もうシュウメイは謎でも何でもなかった。綺麗《きれい》で明るくて、優しくて茶目っ気のある、一人の魅力的な同性だった。

「今日、家に帰ったら、忘れないように用意しておきます」

「シュウメイさんの家か……きっと豪華なマンションとかなんですよね。あたしのとこなんて、狭っくるしくて汚いとこに弟と二人暮らしなんですよ。お部屋、やっぱり広いですか？」

シュウメイの瞳《ひとみ》が一瞬揺れた。その瞳は長い睫毛《まつげ》でふっと隠され、ふたたび瞼《まぶた》が上がったときにはもう屈託のない表情に戻っていた。

「普通です」

シュウメイの「普通」と自分の「普通」では、きっとずいぶん違うのだろう。

「まあいちおうその協力金？　それはもらうけどよ、俺ぁあんたの気持ちに打たれて力ぁ貸すんだ。そいつを忘れねえでくれよ」

高畠のだみ声が聞こえ、蓮介と風見と三人で店のほうへ出てきた。もう打ち合わせが終わったのだろうか。

「おう弥生、俺ぁこの葉月さんのために一肌脱ぐぜ。とびきりの線香花火つくることにしたぜ。いや、まったくすげえ熱意だよ。うちの営業にも真似《まね》させてえくらいだ。

なあ葉月さんよ？」

　高畠の後ろで蓮介は苦笑している。

「弥生ちゃん」

　風見がそばに来て、子供のような顔で笑いかけた。

「今回、ほんとにありがとね。弥生ちゃんが蓮さんに線香花火の話をしなかったら、こんな面白い仕事できなかったよ」

「あたし、社長に教えてもらったことをそのまま言っただけです」

「運も実力のうちだって」

　よくわからないことを言い、風見はあははと口をあけて笑った。なんというかこの人は、蓮介と正反対だなと弥生は思った。

「お礼に何かこんど美味《うま》いもんでもおごるよ。何が好き？」

　と言ってから、風見は弥生に顔を近づけて耳打ちした。

「経費で落とすから、高級料理でもオーケー」

「いいですよ、そんな」

「じゃ、俺のおごりで中級料理」

「でもあの……いろいろ予定もあるので」

なんとなく蓮介のほうを見ると、彼は線香花火の棚の前でしゃがみ込み、ときおり隣に立ったシュウメイにも何か言いながら、真剣な顔で高畠と話し込んでいる。

「暇ができたらメールして」

風見は自分の名刺に携帯のアドレスを書きつけて弥生に渡した。どうしていいものかわからず、もらった名刺を手の中でもてあそんでいたら、視線を感じた。ふと顔を上げると、風見の背後に見える事務室で静也が素早く顔をうつむけたのがわかった。

「行ってみたらパーティ会場だったなんてことはないから大丈夫。あんなことするの、蓮さんくらいだから」

風見はぽんと弥生の肩を叩《たた》いた。

「意味のねえ嘘つくなって」

亮はまるで信じなかった。

「ほんとだって。シュウメイさんっていうんだよ。台湾人なんだって」

「かあぁ、よくそれっぽい名前思いつくな。え、シューメー？」

「そうシュウメイさん。今度あたし、何だっけ……ああ琉璃珠。琉璃珠って大きなビーズみたいなやつなんだけど、その腕輪もらう約束したんだ」

「へえそう」

「嘘だと思ってればいいじゃない。そうだ、あたしも何かシュウメイさんにあげようかな……何か日本っぽいもの……何がいいだろ。ねえ亮、何がいいと思う？」

「日本地図でもやれば？」

面倒くさそうにあくびをし、亮はロナウドの水槽を覗き込んだ。

「俺の姉ちゃん、とうとう妄想しはじめたよ。どうすればいいと思う？」

「とうとうって何よ」

「男ができないからなんだろうな、可哀想に。長いこと付き合ってた彼氏と別れて寂しいし、友達もあんましいないもんだから、せめて妄想の中で有名人と知り合って素敵な時間を過ごそうとでも考えたんだろうな」

「あんた何で知ってんのよ」

「え？」

「何で、あたしが――」

「別れたこと？　そんなの見てりゃわかるよ」

亮はまたロナウドに向き直った。

「お前の知り合いに、いいオスいないか？　土曜日も日曜日も家にいる姉が、俺もう不憫《ふびん》で不憫で」

言い返そうとして、思わず言葉に詰まった。そういえばここのところずっと、休日は家で過ごしている。たまに出かけても、ちょっとした買い物をするくらいで、休日一時間もしないでアパートに戻ってきていた。仕事は忙しくて楽しいけれど、休日は暇だ。たしかにちょっと寂しい。

──蓮介──

「今回、助かったよ」

後日、日の暮れかかった時間帯。

「ありがとう……ありがとな……いや」

蓮介は夜の路地を歩きながら、首をひねりひねり独り言を呟《つぶや》いていた。仕事の合間、タクシーで路地の入り口まで乗りつけ、高畠商会へと向かっているところだった。

風見やシュウメイとともに高畠商会へ行ったあの日、蓮介は弥生に礼を言うつもりでいた。今回の企画は、なにしろ弥生のおかげでスタートさせることができたのだから。しかし不意に、あの上海《シャンハイ》でのパーティの一件が思い出された。

——お礼をしたいと思ったんなら、ただあのとき『ありがとう』って言えばよかったじゃないですか。

そのせいで、とうとう最後まで弥生に向かって礼を口にできず、風見やシュウメイとともに店を辞してしまったのだ。

「思春期のガキか……」

呟きながら腕時計を覗く。午後六時半。弥生の仕事が終わる頃だ。

高畠商会に向かって最後の角を曲がると、ちょうど弥生が店のガラス戸を出てくるのが見えた。片手を上げかけたとき、どこからか「弥生ちゃん」と呼びかける声がした。

人影が一つ、弥生のほうへ小走りに近づいていく。

「へえ……」

蓮介は足を止めた。

人影は風見だった。

二人は路地の端で何か話している。弥生に驚いた様子が見られないことから、どうやら待ち合わせをしていたらしい。壁にもたれ、蓮介は二人をしばらく眺めていた。

やがて弥生と風見は、蓮介がいるほうとは反対側へ路地を遠ざかっていった。

「ん」

自分の前方にもう一人、弥生と風見の後ろ姿を眺めている人間がいることに気がついた。高畠商会で会った、弥生の年下の先輩だという静也だ。二人の姿が見えなくなってからも、しばらく路地の先を見つめていた静也が、やがて諦《あきら》めたようにこちらに身体を向けてとぼとぼと歩いてきたので、蓮介は思わず自動販売機の陰に隠れた。

背中のすぐ後ろを、静也が通り過ぎていった。

「何で隠れんだ……」

自分で言いながら、蓮介は自販機の陰から出て小さく舌打ちした。そのとき静かな路地に携帯の着信音が鳴り響いた。

「うお」

蓮介の胸ポケットだった。慌《あわ》てて携帯を取り出し、通話ボタンを押しながら道の先を見たが、幸い静也は立ち去っていた。

『いま仕事中?』

真絵美だった。

三十分後、蓮介は西麻布交差点近くのバーのカウンターにいた。まだ新しい店らしく、カウンターにもスツールにも傷一つついていない。

「……何だ？」

隣に座った真絵美が、先ほどからずっと自分の横顔を見ているのが気になった。

「私の誘いに乗ってくるなんて、どうしたのかなと思って」

「断ったほうがよかったか？」

「ちょっと不思議に思っただけ。いつもみたいに、携帯の電波が悪いふりもしなかったし。――あれ、やめたほうがいいよ。バレるから」

「気をつけるよ」

それにしても、どうして真絵美はここのところ、あんなに何度も自分を誘ってきたのだろう。先日の疑問がふたたび蓮介の胸に浮かんだ。

「あのさ」

しばらく黙っていた真絵美が、不意に顔を向けた。

「お父さんが持ちかけてる業務提携の話、昔いろいろ世話してもらったからって、無理に受けないでいいからね」

「当たり前だ」

即座に答えた。いまさら真絵美に言われるまでもない。この十年間、蓮介は情や個人的な人間関係を仕事に持ち込んだことなど一度もなかった。

「ずっと、それが言いたかったんだよね」

思わず蓮介は真絵美の顔を見た。それを自分に伝えるためだけに、あんなに何度も誘いの電話をよこしていたというのだろうか。

「で……終わりか？」

「そう、それだけ」

蓮介は内心で首をひねりながらグラスのウィスキーを舐《な》めた。

「でもさ、蓮介。あなたそういうとこ、ほんと恰好《かっこ》よくなったよね」

「どういうとこだ？」

「感情に流されたり、変に恩を返そうとしたりしないとこ。誰かの頼み事も、平気で断れるようになったじゃない？　昔じゃ考えられないよね。昔って学生のときだけどさ。——あのころ蓮介、誰にでも優しくて、人の頼みを断ることなんて絶対できなかったでしょ。人に気を遣って、優柔不断で、いつも見てて苛々《いらいら》してたもん。いまの蓮介は、なんていうか、頼れる男って感じがする」

「頼れない男だから、頼れる男なのか？」

自分の会社が持ちかけている商談に乗らないから、蓮介は頼れる男——真絵美の言葉を要約するとそういうことになってしまう。

「人の魅力って難しいよね」

曖昧《あいまい》に笑い、真絵美はグラスの氷を爪《つめ》で回した。

若いが場慣れた雰囲気のバーテンが、珍しいスコッチが入ったので味を見てみないかと勧めてきた。真絵美が頷《うなず》くと、バーテンは無駄のない仕草でボトルを開封し、二つのショットグラスに酒を注いだ。ぼんやりとそれを眺めながら蓮介は、どうしてかおんちゃんのことを思い出した。けっきょく数えるほどしか行けなかったが、あの店で飲んだ生ビールは美味かった。

「もしかしたら今後、蓮介がお父さんの持ちかけてる話に乗ってみようって気になることも、ありうるんでしょ？」

ショットグラスを鼻先に持っていきながら、真絵美は話を戻した。

「そりゃそうだ。こっちも真面目《まじめ》に検討してるからな」

「そうなったとき――」

一瞬言いよどんでからつづける。

「ちゃんと、ほかの会社と同じようにしてね」

蓮介は目顔で訊《たず》ね返した。

「昔からの知り合いだからって、言われたことをぜんぶ鵜呑《うの》みにして業務提携したりしないでってこと」

—弥生—


「来ないかもしれないって思ってました」

日曜日の午後一時、待ち合わせた雷門《かみなりもん》の前にシュウメイが現れたとき、弥生は思わず全身を硬くした。シュウメイは訊ね返すように微笑《ほほえ》んだ。眼鏡とチロルハットで顔は隠しているが、そのスタイルだけでも十分に人目を引くようで、大きなちょうちんの下を行き交う人々がちらちらと視線を投げてくる。

シュウメイが高畠商会に電話をくれたのは三日前のことだ。電話を受けたのは静也で、彼は半信半疑のような顔をパソコンのディスプレイの上から覗《のぞ》かせて、弥生に先方の名前を告げた。弥生もまた半信半疑で電話を受けたのだが、受話器の向こうから聞こえてきたのは本当にシュウメイの声だった。

——弥生さんの住所を訊《き》くのを忘れました。

——あ、え?

――琉璃珠《リウリジュー》の、プレゼントの約束。

あげると約束した琉璃珠の腕輪を、弥生の家まで届けにいこうと思ったのだが、住所を教わっていないことに気がついたのだとシュウメイは言った。弥生は自分の耳を疑った。あのレゴリスの広告モデルが、自分のアパートまでわざわざプレゼントを届けようとしてくれたというのか。

アパートの住所を言うのは簡単だったが、来てもらうのは申し訳ないし、そもそもあのぼろい建物を見られたくない。今度会ったときで構わないと弥生は言ったのだが、早く渡したいのだとシュウメイは笑う。

――日曜日、忙しいですか？

唐突に訊かれた。

――いえ全然。

――いっしょに、遊びませんか？　琉璃珠は、そのときに持っていきます。

そして今日、一時に雷門で待ち合わせたのだ。

アパートから電車と徒歩で三十分もかからない場所だったが、弥生はどうしても落ち着かず、十二時前に家を出た。ここでこうして待っているあいだも、緊張のあまり二度トイレに行った。あの電話は何かの間違いだったのではないか。シュウメイは本当に来るのだろうか。門の表側に立ってみたり、裏側に立ってみたり、ちょうちんを見上げてみたり鳩《はと》を眺めてみたりして挙動不審の時間が流れた。そして安物の腕時計が一時ちょうどを指したそのとき、人混みの中からシュウメイが現れたのだ。

空は快晴。風もなく、本格的な夏がはじまる前のおだやかな午後だった。

「あの、どこ行きます？　映画とか、ボウリングとか、もっとなんか、乗り物があるようなところとか？　まずは浅草寺《せんそうじ》にお参りしますか？」

ゆうべ一晩かけ、弥生は現在上映中の映画をチェックしたり『Ｔｏｋｙｏ　Ｗａｌｋｅｒ』最新号を読破したり、亮のパソコンでウィキペディアを見たりして、シュウメイを連れていけそうな場所を完璧《かんぺき》に予習し、浅草寺の来歴なども調べてきた。情報は、すべてとは言わないが、ほとんど頭に入っている。おかげで少々寝不足だった。

シュウメイは額に手びさしをして周囲を見渡し、雷門の向こう側に視線を留めた。

「あそこを見たいです」

なるほど仲見世《なかみせ》か。仲見世は日本で最も古い商店街の一つで、そのはじまりはそもそも徳川家康が江戸幕府をひらいたときに——。

と予習してきたことを頭の中で素早く復習《さら》っていたら、シュウメイが「あ」と声を洩《も》らしてすたすたと歩き出した。きびだんごの店へと真っ直《ます》ぐに近づいていく。

「弥生さん、これ美味《おい》しいですか？」

ようやく追いつくと、振り返って訊かれた。

「あ、けっこう美味しいですよ。買っていきます？」

「いま食べるのはできない？」

「できる……と思いますけど、え、シュウメイさんお昼ごはん食べてないんですか？」

「食べました。でも甜的东西《ティエンダドンシ》、我还能吃得下《ウオーハイヌンチーダシィア》」

「はい？」

「別腹に、まだたくさん入ります」

シュウメイは歯を見せて笑った。

きびだんごを食べながら、二人で仲見世をめぐった。シュウメイはダルマやこけしや千社札シールを興味深げに観察し、きびだんごを食べ終えたあと、さらに揚げまんじゅうと煎餅《せんべい》を食べた。弥生もいっしょに買って食べたのだが、浅草寺の境内に出ていた露店でシュウメイがさらに焼き鳥を二本買ったときは、さすがにもうお腹《なか》がいっぱいで諦《あきら》めた。

二人でおみくじを引いた。弥生は小吉だったが、シュウメイは大吉だった。浅草寺の賽銭箱《さいせんばこ》に小銭を投げ入れ、並んで手を合わせた。こっそり薄目を開けてシュウメイを見てみると、真面目な顔をしようとしているのに、どうしても笑ってしまうというように、両目を閉じたまま頰だけが持ち上がっていた。

もう一度仲見世を抜けながら、子供用の名前入りバッジを売っている店に寄った。シュウメイは「やよいちゃん」、弥生は「しゅうちゃん」のバッジを買い、それぞれプレゼントした。アニメのキャラクターグッズを売っている店で、シュウメイはドラゴンボールの筆箱を、うっすらと微笑みながら、何故《なぜ》かじっと眺めていた。

「つぎ、どこ行きます？」

ふたたび雷門に戻ってきたとき、ゆうべ予習しておいたプレイスポットをあれこれ頭にめぐらせながら弥生は訊いた。シュウメイは立ち止まり、しばらく頰に手を添えて考えていたが、どうしてかふと気遣わしげに弥生の顔を見た。

「このままは、駄目ですか？」

「このまま？」

「こういうのが、いいです。こういう、散歩」

そう言われて初めて弥生は、自分もそれを望んでいたことに気がついた。このまま二人で目的もなくぶらぶら歩き、「あ」とか「ほら」とか言いながら寄り道ばかりして時間を過ごしたかったのだ。

「じゃ、散歩しましょうか」

返事のかわりにシュウメイはにっこりと微笑んだ。

それから二人であちこち歩いた。花やしきの観覧車やジェットコースターを外から眺め、本屋で図鑑や絵本をめくり、隅田川の川縁《かわべり》まで足を延ばして水上バスに手を振った。隅田公園を抜けてパチンコ屋の前を通ったとき、弥生が翔太と別れるに至った経緯を打ち明けると、シュウメイは綺麗《きれい》な額に縦皺《たてじわ》を刻んで怒ってくれた。

浅草周辺に飽きてからは、バスに乗って上野方面へ向かった。上野公園の中を歩き、足が疲れてきたので、売店で揚げたこ焼きを買ってベンチに座って食べた。食べながら喋《しゃべ》り、喋りながら食べ、不忍池《しのばずのいけ》を一周でもしようかということになった。立ち上がってふたたび歩きはじめたとき、シュウメイがふと背後を気にするような素振りを見せたので弥生は訊いた。

「どうしたんですか？」

シュウメイは数秒、周囲に視線を這《は》わせていたが、やがて弥生に向き直って微笑した。

「ときどき、誰かが見ている気がするんです。でも、たぶん気のせいです」

「それ、シュウメイさんのファンじゃないですか？　家に入るときとか、気をつけたほうがいいですよ。怖い人だっているんですから」

「平気です」

「平気じゃないですよ。町で『謎《なぞ》の女』を見つけたら、あとをつけようとする人だっていてもおかしくないです。気をつけないと」

自分がどれだけ世間の注目を集めている存在なのか、きっとシュウメイはわかっていないのだ。レゴリスに言われなければ、帽子も眼鏡もせず平気で外出でもしてしまいそうだった。

蓮《はす》の葉を眺めながら不忍池を一周し終えると、日が暮れてきた。あれだけ買い食いをしたのに、歩いたせいで二人ともお腹がすいてきて、夕食を食べようということになった。

「あたし、いいお店知ってるんです。ここからそんなに遠くないんですよ。イタリアンは好きですか？」

そこは翔太と一度だけ行ったことのある店で、少々値は張るが、料理もワインも美味しかった。弥生の財布には厳しいものがあるけれど、さすがにシュウメイをそのへんの安い店に連れていくわけにはいかない。

「好きです。でも――」

シュウメイは短く言葉を切り、困ったような顔でつづけた。

「高いお店ですか？」

「あ、ええと……あたしの知ってる中では、けっこう。でもシュウメイさんが普段行ってるようなお店に比べると、たぶんぜんぜん」

シュウメイはそっと首を横に振った。

「安いところがいいです。そのほうが、楽しい気がします」

自分に気を遣ってくれたのだ。弥生はちょっと恥ずかしくなったが、無理に連れていくのも気遣いを無視するようで申し訳ない。

「じゃあ……ほんとに安いお店でいいですか？　それなら、もっと近くに一軒あるんですけど。明太子《めんたいこ》おにぎりの美味しいお店が」

シュウメイの顔がぱっと明るくなった。

「おにぎり、大好きです」

おんちゃんの戸を開けて入ると、カウンターの向こうで鉄二が微笑んだ。

「いらっしゃい」

ここへ来るのは蓮介との一件があって以来だが、連れがいたからか、鉄二はそのことについては触れず、黙ってカウンターテーブルに割り箸《わばし》を二膳《にぜん》置いた。

「ここ、最初に食券を買うんですよ」

「あ、中国にもそういうお店、あります」

「あたし、おごりますね。シュウメイさん忙しいのに、今日一日付き合ってくれたから」

「いいです。自分のお金のほうが美味しいです」

嫌味のない断り方をして、シュウメイはハンドバッグから財布を取り出した。弥生もそれ以上押しつけがましく言うのはやめ、生ビールと十勝牛のたたき、牡蠣《かき》フライのチケットを買った。

「おにぎりは、あとで食べましょうね。ほかの料理も美味しいから」

「はい、あとで」

シュウメイは、やはり生ビールと、じゃがバターとアスパラガスサラダのチケットを買った。高《たか》級そうな財布なのに、券売機に入れるのが小銭ばかりだったが、そうなってしまう理由は弥生にもわかった。慣れない通貨で買い物をしていると、レジで小銭を出すのに手間取ってしまうものだから、つい札で支払ってしまうのだ。そうして釣り銭ばかりが溜《た》まっていき、いつのまにか財布は小銭だらけになっている。上海でもそうだった。

席についてすぐにシュウメイがトイレへ入ったので、弥生は鉄二に訊《き》いてみた。

「あれから……来てないよね？」

「あのお兄ちゃん？　ああ、来てないね。べつに、来りゃあいいのにな。スーさんだってケンちゃんだって、あの場ではアレだったけど、そんな本気で怒ってるわけじゃねえんだからさ」

「そうだよね」

と答えたものの、なんとなく弥生は、もう蓮介はここへは来ないだろうなと思った。きっと彼は、そういう類《たぐい》のプライドを持った人だ。

「お友達、ちょっと言葉がアレだね。外国の人？」

「ああ、うちの会社に中国から赴任してきた人」

考えておいた嘘《うそ》を答えた。

「海外から赴任かよ、さすがだなあ。でかい会社は違うなあ」

鉄二は感心しながら二つのジョッキにビールを注ぎ、ちょうどシュウメイが戻ってきたタイミングでカウンターテーブルに置いた。弥生とシュウメイはごつんとジョッキを合わせて乾杯した。

「あたし、シュウメイさんにプレゼント持ってきたんです」

弥生はハンドバッグから、谷中銀座で昨日のうちに買っておいたものを取り出した。薄い青に染められた和紙の扇子と、カラフルな千代紙が表面に施された写真立てだ。あまり高いものではないが、二時間かけてじっくり選んできたお土産だった。

「綺麗な色です。どちらも素敵です。大好きです」

シュウメイは弥生が想像していた以上に喜び、両手に扇子と写真立てを持ったまま、子供のように口をあけて交互に眺めた。やがてそれらを大事そうに袋へ戻してカウンターテーブルの上に置くと、自分のハンドバッグを引き寄せた。

「ごめんなさい。ずっと楽しくて、渡すのを忘れていました」

シュウメイがそこから取り出したのはごく普通の封筒だったが、中から出てきたのは美しい琉璃珠《リウリジユー》だった。

「うわ、ありがとうございます。え、これは何の玉なんですか？　シュウメイさんのと全然違いますね」

丸みを帯びた筒状の玉の表面に、これは何の模様だろう、涙のようなものがいくつも連なって描かれている。涙はそれぞれ二重になっていて、内側と外側で色が違っていた。

「これは、孔雀《くじゃく》の玉です」

「孔雀の……あ、この模様、孔雀の羽なんですね。これにも、やっぱり何か伝説っていうか、お話はあるんですか？」

「あります。ぜんぶにあります」

弥生の手首に腕輪の紐《ひも》を結びつけてくれながら、シュウメイは孔雀の玉の由来を聞かせてくれた。

昔、ある村に美しい娘がいた。あまりに美しかったので、孔雀王と呼ばれる天上の神様までもが恋をした。ある日、孔雀王は自分の羽の中から美しい玉をぱらぱらと地上に落とした。その玉の美しさに惹《ひ》かれ、娘は一つ、また一つと拾い集めているうちに、だんだんと天に昇っていった。そしてとうとう孔雀王と出会って恋に落ち、結ばれたのだという。

「そのとき孔雀王が落としたのが、その玉なんです」

「へええ……」

この玉は「愛情」や「美」を象徴するのだと、シュウメイは言った。

「弥生さんは、とても綺麗で優しいから、これを選んできました」

てらいのない口調だった。男性から言われるよりも恥ずかしくなってしまい——もっとも男性からそんな言葉をかけられたことなどないが——弥生はすぐに反応できなかった。するとシュウメイは不安げな顔つきになった。

「あまり、好きではありませんでしたか？」

はっとして、慌《あわ》てて首を横に振った。

「すごく素敵です。嬉《うれ》しいです。ただ、ちょっとびっくりしちゃって。綺麗とか優しいとか」

「お世辞だよ」

鉄二が余計な口を挟んだ。弥生が言い返す前に、シュウメイが小さく笑って言った。

「お世辞ではありません。弥生さんは、とても綺麗で、優しいです」

「でも……ほんとにそんなに綺麗だったらいいなあって思いますよ。神様が恋しちゃうくらい。あたしなんて人間の男にもぜんぜんモテませんよ」

「モテます」

「モテませんって」

弥生は本気で溜息《ためいき》をついた。

「好きな人、いないんですか？」

「牛たたきとアスパラサラダ」

鉄二がカウンターテーブルに料理を置いた。彼がある程度遠ざかるのを待って、弥生は答えた。

「いないんですよねえ、それが」

「男の人と、出かけたりはしない？」

「そういうのも……あ、この前ちょっとあったかな。十日くらい前に」

「あるんですね、やっぱり」

答える前に鉄二を見ると、すっと目をそらされた。

「聞かないでよ」

「聞いてねえよ」

「向こういってくれる」

「料理つくってんだから無理だよ。じゃ耳栓してるよ」

こういうときのために用意しているのだろうか、鉄二は前掛けのポケットから耳栓を出して両耳に押し込んだ。そのまま下を向いて料理をつづける。

「デートしたんですね？」

待ちきれないというように、シュウメイが訊いてきた。弥生のほうに身を乗り出して、まるで学校の同級生のようだ。

「デートというか、まあ、食事をして」

「デートです、それ」

「いやあ、そういうんじゃ……」

弥生は首をひねった。本当のところはどうだったのか、自分でもわからなかったのだ。

食事の相手は風見だった。

「謎の女」と知り合ったことを亮が信じてくれず、しまいには妄想だの可哀想《かわいそう》だの不憫《ふびん》だのと言われ、つい勢いで、風見に教えてもらったアドレスにメールを送ったのだ。といってもべつに、食事に行きましょうなどと誘ったわけではない。たしか《今日はお疲れ様でした。お役に立ててよかったです》とか、そんな文面だった。すぐに返信が来た。それから寝るまでのあいだに、互いに何度かメールを送った。風見は何というか、とても上手だった。最初のメールで弥生の心の構えを解き、つぎのメールでは、本当はちょっと二人で出かけてみたかったのだという弥生の気持ちを、弥生自身に気づかせた。つぎのやりとりで金曜日の仕事が終わる時間を訊き出し、寝る前のメールでは、《じゃ、金曜日に》《楽しみにしてます》ということになっていた。

風見のおごりで、安くはないが気取ってもいない、地中海料理の店に行った。

楽しい時間だった。風見の話はとても面白く、かといって一方的に喋《しゃべ》りはせず弥生にも同じくらい話をさせてくれた。弥生は話を聞きながら何度も吹き出し、風見も弥生の話に笑い声を上げ、そうかと思えば互いに生真面目《きまじめ》な顔をして子供時代の思い出を語っていたりした。風見が小学校のころ担任だったという女性教師の真似《まね》をしてみせたときは、会ったこともないのにひどく似ている気がして、お腹《なか》が苦しくなるほどまた笑った。気がつけば二時間経《た》っていて、つぎに時計を見たときは三時間が経っていた。

「あい、これでぜんぶね」

鉄二がじゃがバターと牡蠣フライを出した。

蓮介の話もした。最初に話題が出たのは、風見が学生時代にアーケードゲームの全国大会でベスト3に入った話をしているときだった。

——そのとき俺に攻略法教えてくれたの、じつは蓮さんだったんだ。

——そうなんですか？

——自分じゃ大会に出ないで、そのかわり、俺にぜんぶテクニックを伝授してくれたの。なんていうか、あの頃から蓮さん、社長向きの性格だったのかもしれないな。

そんなものだろうか。弥生にはよくわからなかった。

——あの人、いろんな才能があるんだ。

まるで自分のことのように、風見は自慢げに微笑《ほほえ》んだ。

店を出たときには、なんだか昔からの友達同士みたいに、すっかり打ち解けていた。

男性相手にこんなふうにリラックスできるなんて、自分でも驚きだった。歩きながら弥生が何か冗談を言ったとき、笑って薄着の肩のあたりに触れられたが、まったく嫌な気がしなかった。

——才能のある人って、うらやましいです。葉月さんも風見さんもシュウメイさんも。あたしも一つくらい才能があればよかったんだけど。

——あるじゃない、才能。今回やってるうちの広告だって、弥生ちゃんの才能のおかげでスタートしたんだよ。だからこうしてお礼させてもらったわけだし。

——あたしの才能じゃないですよ。社長から聞いたことを話しただけですから。

——そういうのが才能なんだって。

——どういうのがです？

——才能なんて、「これ」って具体的に指させるようなやつがないほうがいいんだよ。そういう人にかぎってつまらないもん。

——そうでしょうか。

歩きながらしばらく考えたが、風見が話したことの意味はいまいちわからなかった。素直にそれを言うと、風見は「俺も」と笑った。

そんな話を、弥生はシュウメイに聞かせた。ただ、相手が風見だということは、本人に迷惑がかかるかもしれないと思い黙っていた。

ふんふんと相槌《あいづち》をうちながら、弥生本人よりも夢中になって話を聞いていたシュウメイは、口もとを緩めて長い腕を組んでいたかと思うと、急に悪戯《いたずら》っぽく顔を寄せてきた。

「その人のこと、好きになりましたか？」

あまりにストレートな質問に、ぎょっとした。それと同時に、カウンターの向こうで、耳栓をしているはずの鉄二の眉《まゆ》がひくりと動いた気がした。

「でも、あたしが好きなのは、ここのマスターだけですから」

えっ、と鉄二がこちらを向き、すぐに、しまったという顔をした。

「いやらしいワザ使って人の話聞かないでよ」

「くそ、ツメが甘かったか。せっかく『筒状耳栓』つくったのに……」

弥生にそれ以上何か言われる前にと思ったのか、鉄二は店の奥へ引っ込んでテレビのスイッチを入れた。カツオが裏のおじいさんと何か取引のようなことをやっていた。

「そんなの、まだぜんぜんわかりませんよ。楽しいからって好きになるわけじゃないですし」

答えてから、どうしてか弥生は、児童公園で蓮介と並んで線香花火をやったときのことを思った。楽しい――と言える時間ではなかったが、風見と過ごした夜よりも強く胸に残っているのは不思議なものだ。この店で、あんな出来事があったあとだったからだろうか。

「好きになったら、いいですね」

「どうしてです?」

「そういう人がいたほうが、幸せです」

「シュウメイさんはいるんですか?」

「私は――」

ふっと視線を下げてシュウメイはつづけた。

「これから、できたらいいなと思います。いままで、ちょっと大変なことがつづいていました。でもそれが、昨日、やっと終わりました。だから、これから」

大変なことというのは、やはり仕事関係だろうか。どこかしら訊《たず》ねるのをためらわせる雰囲気が、そのときのシュウメイにはあった。

「好きな人はいませんけど、あたし、この頃よく、考えちゃう人がいるんですよね」

打ち明ける、というよりも、不思議に思っていることをただ話すといったつもりで弥生は言った。

「どんな人ですか？」

ふたたび興味津々《しんしん》の様子でシュウメイは顔を近づけてくる。

「あ、いえ、だからべつに好きってわけじゃないんです。でも、一人でいるときとか、仕事中とかに、なんとなく考えることがあるってだけで」

うんうんとシュウメイは頷《うなず》く。

「どんな人です？」

「ええと……すごく強い人です。でも、もしかしたら、あんまり強くないかもしれません」

「難しい人ですね」

「この店にも、前は来てたんですよ。いつも巨大明太子《めんたいこ》おにぎり食べてました」

「たくさん食べる男の人はいいですね」

二人は同時に笑った。

「おお、これこれ」

鉄二がテレビに首を伸ばす。

「うはあ……やっぱしいいよなあ」

弥生とシュウメイは思わず顔を見合わせてニヤリとした。画面に映っているのはレゴリスのCMだった。スツールに座ったシュウメイが、黒いカウンターテーブルにそっと指を這《は》わせている。弥生はあらためて、画面のシュウメイと隣に座った彼女を見比べてみた。片方はとても綺麗《きれい》で、片方はとても可愛《かわい》らしい。可愛らしいほうのシュウメイが、ビールジョッキを持ち上げて、くい、と飲み干した。

「弥生さん、もっと飲みますか？」

「シュウメイさんは？」

「私、飲みます」

「じゃ、あたしも。あそうだ、さっきの話で思い出した。巨大明太子おにぎり食べましょうよ」

シュウメイが財布を持って席を立とうとしたので、弥生は腕を引いて止めた。

「ビールとおにぎりくらい、おごらせてください。マスター、いま食券買うから、ビール二杯とおにぎり二つね」

「あい了解」

食券を買って戻ってくると、シュウメイが自分の手帳に何か書きつけているところだった。ぴり、とページを破って弥生のほうに差し出す。そこには綺麗な文字で、携帯のメールアドレスが綴《つづ》られていた。

「レゴリスから、連絡用の携帯電話、もらっています。本当は誰かに教えるのは駄目だと言われています。でも、友達がいなくて寂しいから」

シュウメイは小声で言った。

「え、いいんですか。あとで怒られたり――」

「あいビール」

「平気です」

シュウメイはちょっと照れたように笑った。

「でも、あまり難しい日本語はできません」

「あたしも似たようなもんですよ」

「ほかの人には、言わないでくださいね」

「わかりました。二人だけの秘密です」

弥生は受け取った手帳の一枚を、大切に折りたたんでハンドバッグに仕舞った。弥生が「秘密」などという言葉を使ってしまったせいか、シュウメイは少し恥ずかしそうな顔をして、カウンターテーブルの表面についたビールジョッキの水滴を指で伸ばした。その仕草を鉄二がふと目に留め、腕を組んで首をひねった。

「……んんん?」

スナック菓子の入ったレジ袋を持って部屋に入ると、スウェットの上下を着た亮がロナウドの水槽に餌《えさ》を入れているところだった。

「亮、友達連れてきたけど入ってもらっていい?」

「ええぇ、急にやめてくれよ。俺こんな恰好《カッコ》だし、喋るんならファミレスでも行けばいいじゃん」

「あんたの憧《あこが》れの人だけど」

「はあ?」

おんちゃんを出たとき、弥生は思いきってシュウメイに切り出したのだった。

——あの、一つだけ、お願い聞いてもらってもいいですか? 駄目ならもちろん構わないんです。ちょっとでいいから、弟に顔を見せてやってもらえませんか? ほんとに、ちょっとだけでいいんです。一瞬で。

——一瞬……？

シュウメイは生真面目《きまじめ》な顔で訊《き》き返してきた。

——ああ、一瞬ってそうじゃなくて、十分くらいで。

——いいですよ？

シュウメイはかえって不思議そうな表情で頷いた。

「姉ちゃんの友達に憧れた憶《おぼ》えなんてねえぞ」

「シュウメイさん、狭いですけどどうぞ」

弥生が玄関へ声をかけると、シュウメイがドアを開け、申し訳なさそうな顔で入ってきた。

「遅い時間に、すみません」

帽子と眼鏡のシュウメイを見て、亮はロナウドの水槽に手を添えたままぺこりと頭を下げた。弥生に顔を向け、ちょっと首をひねってみせる。

「知らねえよ、やっぱり」

「あ、もうそんな帽子とか眼鏡とか取っちゃいましょうよ。そのへん置いといてもらって大丈夫ですから」

シュウメイは素直に頷いてそれらを外した。

「ああ……気持ちいいです。帽子も眼鏡も、中国ではやっていなかったから」

亮は人形のように固まっていた。右手は手首まで水槽の水に浸《つ》かり、指につまれたままの固形餌《こけいえさ》に、ロナウドが夢中でかじりついていた。


「これ、中国でもよく食べていました」

有名メーカーのポテトチップスをつまみながらシュウメイが言った。

「あ、そういえば上海《シャンハイ》のコンビニで、あたしも見たかもしれません」

「ポテトチップス、カップラーメン、缶コーヒー、日本のもの、何でも売っています」

この狭いアパートを見たらシュウメイは驚くかもしれないと、弥生はある種の覚悟をした上で連れてきたのだが、意外にも彼女がくつろいだ様子でいてくれたので嬉《うれ》しかった。弥生の淹《い》れた紅茶を美味《おい》しそうに飲み、いっしょにコンビニで買ってきたポテトチップスやたけのこの里をつまんだ。亮はほとんど口を利《き》くことができず、ときおり「あ」とか「う」とか声を洩《も》らす程度で、シュウメイがお菓子を勧めると、「いやっは」と変な返事をして頭を下げた。

「あんた、せっかくなんだからちょっと喋《しゃべ》りなよ」

「くっくん」

　駄目だこれは。

「シュウメイさん、亮に何か中国のお話をしてやってくれませんか？　こいつ一回も海外行ったことないんですよ」

　自分もこの春に初めて海外旅行に行ったばかりなのだけど、逆にそれで、〇回と一回では大違いだということを思い知ったのだ。

「そうだ、中国語を教えてやってください。亮、シュウメイさんに教わりな」

　シュウメイは快く頷いて、亮にいくつかの面白い中国語を教えてくれた。「愛人」は愛人でなく「配偶者」だということ。「娘」は「お母さん」で「老婆」は「奥さん」、「丈夫」は「旦那《だんな》さん」、「汽車」が「自動車」で「麻雀」が「スズメ」、「東西」は「物」——。

「亮さん、これは何だと思いますか？」

　シュウメイはテーブルの脇《わき》に置いてあったスーパーのチラシを取り、ボールペンで「手紙」と書いた。亮はぷるぷると首を振り、弥生も腕を組んで考えた。

「あれです」

　そう言ってシュウメイが笑いながら指さした先には、トイレットペーパーがあった。

先ほどシュウメイの出現で硬直した亮が、ふたたび動き出したときに水槽の水を派手にこぼしてしまい、弥生がそれを拭《ふ》くのに使ったのだ。

「え、じゃあ『手紙を出す』なんて中国語で言うとき、気をつけないといけませんね」

弥生が言うと、亮が頷いた。

「そうか、普通は、出してから手紙だもんな」

言ってしまってから、はっとしてシュウメイを見た。

「げひっ、下品なことを言ってすみませんでした！」

「平気です。面白かったです」

言い終える前にシュウメイは吹き出し、顔を覆《おお》って肩を震わせた。それを見て亮もあはあはと口をあけて中途半端《はんぱ》に笑った。

やがて話が、言葉、国、町、季節と進んだところで、弥生は七夕が近いことを思い出した。七月七日前後の週末には、浅草のかっぱ橋で「下町七夕まつり」というものが行われる。それほど大規模な祭りではないが、弥生はその雰囲気が好きで、毎年翔太を引っ張っていった。

今年はどうしよう。一人で行っても面白くないなと、弥生は壁のカレンダーを見ながら思った。

「シュウメイさん、七夕って中国にもあるんですか？」

駅までシュウメイを送りながら弥生は訊いてみた。

「あります。もともと、中国のお祭りです」

「そうなんですか？」

「織女と牽牛《けんぎゅう》の話は、中国のものです。だから中国では日本よりも七夕は大事です」

織女と牽牛、の部分は中国語だったが、意味は伝わった。

「七夕は、男の人が女の人に愛を伝える日で、プレゼントや、花を渡します」

シュウメイも渡されたことがあったのだろうか。彼女はなんだか懐《なつ》かしそうな顔で夜空の星を見上げた。

こんど浅草で七夕祭りがあるのだけど行ってみないかと、弥生は訊いた。それはごく軽い問いかけだったのだが、シュウメイは大きな両目を輝かせて弥生の顔を見返した。

「お祭り、好きです。日本のお祭り初めてです」

「行きますか？」

「行きます！」

弥生は心の中で拳《こぶし》を握った。シュウメイと二人で七夕祭りの露店で買い食いをすることを想像すると、興奮で両足がむずむずした。

互いの電話番号を教え合い、シュウメイとは駅の改札口で別れた。

＊＊＊

その日の深夜――。

暗闇《くらやみ》で弥生の寝息を聞きながら、亮は一ミリずつ身体《からだ》を動かしていた。

寝るときに部屋を仕切っているカーテン状の布を、じわりじわりと持ち上げる。眠っている弥生のほうへ、少しずつ、少しずつ身体を這《は》わせていく。弥生は静かに両目を閉じ、規則的な寝息をたてている。

慎重に、亮は右手を伸ばした。弥生の枕《まくら》もとにある携帯電話に指先が触れた。

シュウメイの連絡先が、ここに入っているかもしれない。

いや、入っているに違いない。あれだけ仲良しなのだから。

首の脇を汗が滑り落ちた。呼吸《いき》を止め、姉の旧式の携帯を顔の前に持ってくると、亮はゆっくりと折りたたみ部分をひらいていった。一ミリ、二ミリ、三ミリ……。ぴかっとディスプレイが光った。暗闇の中で、その光は想像以上に眩《まぶ》しかった。視界の端で、弥生がむくりと身体を起こしたのがわかった。

直後、脳天に強烈な回《まわ》し蹴《げ》りが飛んできて、眼球の裏側がディスプレイよりも明るく光った。

「あんたそれ、犯罪だよ。わかってると思うけど」

亮の手から携帯を奪い去り、弥生は短い溜息《ためいき》をついてふたたび布団《ふとん》に潜り込んだ。

両手で脳天を押さえ、肘《ひじ》と膝《ひざ》だけでバックして、亮は自分の布団へと退却した。

　　——シュウメイ——

最後にこんなに楽しい一日を過ごしたのは、いつのことだったろう。今日の自分を幸せだと思えたのは、いつのことだったろう。

天美家具で働いていた頃、自分はたしかに幸せだった。しかしそれは、いま振り返ってそう思うだけで、当時は自分が幸せだということなど意識していなかった。不幸せを経験しなければ幸せを感じられないなんて、もったいないことだ。

昨日、ハンヤンはシュウメイが渡した金を持って金貸し業者の事務所へ行った。それが最後の返済分だった。これでもう借金はない。明日から、父との生活を立て直していこう。レゴリスからつぎの報酬が支払われたら、アパートも引き払って新しい部屋へ引っ越そう。

もうしばらく、シュウメイはハンヤンと二人で暮らすつもりでいた。いま父を一人にしたら、また以前と同じような生活に戻ってしまうかもしれないから。

——お父さん、今日は遊びに行ってくるね。

昼間、家を出る前に言うと、ハンヤンはシュウメイの顔を眺めて微笑《ほほえ》んだ。

——楽しそうだな、シュウメイ。

——楽しいよ。日本に来て、初めて楽しい。

外出の支度をするシュウメイを、ハンヤンはいつまでも眺めていた。親子とはいえ、最後には視線がいいかげん気になったほどだ。アパートのドアを出るときに振り返ったら、まだ見ていた。娘が楽しそうにしているのが、よっぽど嬉しかったのだろうか。にこにこと笑い、両目にはうっすらと涙が滲《にじ》んでいるようにも思えた。

——じゃあね、お父さん。

ドアを閉めようとしたら、ハンヤンは小さくシュウメイの名前を呼んだ。

——え？

首だけドアの隙間《すきま》から差し入れて訊き返すと、ハンヤンはしばらくこちらの顔をじっと見つめていたかと思えば、

——ありがとうな、シュウメイ。

そんなことを言った。おそらくは借金返済のことだったのだろう。しかしシュウメイは意味がわからないふりをし、軽く首をひねってドアを閉めた。

ハンドバッグの中で携帯電話が振動した。歩きながらディスプレイを見てみると、弥生からのメールだった。

《今日はありがとうございました。また歩きましょうね！》

歩きましょうね、というのが可笑《おか》しかった。シュウメイのことを考え、なるべく簡単な日本語を使おうとしてくれたのだろうか。ハンヤンの待つアパートに向かってゆっくりと歩を進めながら、シュウメイは返信メールを打った。

《とても楽しかったです　たなばたまつり　楽しみにしています》

弥生と過ごしていると、上海でミンに裏切られたときの傷が、少しずつだが癒《いや》されていくような気がした。この先、自分がどうなるのかはわからない。いつまでもレゴリスのモデルをつづけていくことは難しいだろうし、かといってほかに何をすればい

いのかも思いつかない。ただシュウメイは、弥生とはずっと友達でいようと決めた。日本で暮らしつづけるとしても、いつか上海に帰るとしても。

何年も先、上海でミンと仲直りをし、日本から遊びに来た弥生と三人でお酒でも飲んだら楽しいだろう。きっと弥生はミンに会っても、普通の友達として仲良くしてくれる。彼女はそういう人だ。――弥生の弟の亮がいたら、もっと面白いかもしれない。純情で素直な男の子だから、ミンに可愛がられそうだ。

携帯電話をハンドバッグに仕舞うとき、浅草寺で弥生といっしょにひいたおみくじが指先に触れた。取り出して、折り目をそっとひらいてみる。天美家具が倒産してからというもの、雑誌の占いさえ見る気にならなかった。どうせいいことは書かれていないだろうから。しかし今日は、ひく前から、絶対にいいことが書かれているという気がしていた。

この運勢は、今日のものなのだろうか。それとも、もっと長い期間の運勢なのだろうか。シュウメイは腕時計を覗《のぞ》き見た。もし今日のことだとしたら、あと一時間くらいは「大吉」のはずだった。

なんだかまた浮き浮きしてきて、シュウメイはアパートへと足を速めた。

柵《さく》のペンキが剝《は》げ落ちた外階段をかんかん上り、ハンドバッグから鍵《かぎ》を取り出しながらドアへ近づく。ノブの鍵穴に鍵を差し込もうとして――あれ、と思った。

鍵が開いている。闇金業者の取り立てがあったため、ハンヤンは部屋にいるときも必ずドアには鍵をかけていたのだが、もう、そんな必要もなくなったということか。施錠されていないドアが自由の象徴のような気がして、思わず笑みがこぼれた。笑顔のままノブを握ってドアを開けると、真っ暗だった。

父は、寝てしまったのだろうか。

起こさないよう、シュウメイは静かにヒールを脱いで居間に入った。薄いカーテンから路地の街灯の光が射《さ》し、布団の敷かれていない部屋を浮かび上がらせている。隅のほうで、ハンヤンが横になっているのが見えた。

「……寝ちゃったの？」

返事はなかった。近づいてしゃがみ込み、肩のあたりをとんとんと叩《たた》いた。

それだけで、違うとわかった。

そこに横たわっているのは父だが、父ではなかった。感触が違う。温度が違う。何より気配が違う。いや、違うのではない。目の前に横たわり、うっすらと街灯の光を浴びている身体《からだ》は、何の気配も発していなかった。

「……爸爸《パーパ》？」

肩に手を添えて揺らした。丸太が転がるように、ハンヤンの身体はごろりと上を向き、ひらいたままの両目が天井を見上げた。畳には黒い血が広がり、その血はハンヤンの左半身を影のように染めていた。震える両手で口を覆ったとき、うっすらと床で銀色の三角形が光った。包丁だった。ハンヤンの首の右側には、真《ま》っ直《す》ぐな深い切り傷があった。

包丁の脇《わき》に、折りたたまれた便箋《びんせん》が置かれていた。折り目は少しひらいていて、ハンヤンの文字で何か綴《つづ》ってあるのが見えた。便箋の隣には、きちんと丸いかたちに整えられた琉璃珠《リウリジユー》の腕輪が置かれていた。シュウメイが九歳のときにプレゼントし、父がずっと身に着けてくれていた、あの腕輪だった。

第四章　無情な裏切り／ＲＥＧＯＬＩＴＨ

―蓮介―

高畠商会の応接室で、蓮介と風見はガラステーブルの上に並んだ写真に見入っていた。全部で八枚。すべて線香花火の写真だ。真っ暗な背景に、無数に枝分かれした金色の線が鮮明に浮かび上がっている。

「シャッター速度を遅くして撮ると、花火のイメージが摑《つか》みやすいんだ。火花の一個一個が、点じゃなくて線で写るからな。シャッター速度を速くしちまうと、ただ点が散らばってるようにしか写らねえ」

言いながら、向かいのソファーに座っていた高畠が老眼鏡越しにぎょろりと目を上げた。

「実際に目で見るときに、いちばん近《ちけ》えイメージで写るように撮ってあんだ」

並んだ写真はどれも、これまで高畠が職人とともにつくってきた線香花火たちだった。本当はもっと種類があるらしいのだが、高畠は風見からCM映像の明るさやカメラワークなどを詳しく聞くと、この八枚だけをキャビネットのファイルから取り出してきた。

ＣＭや広告パネルに使用するオリジナルの線香花火を、どのようなものにするか——それを打ち合わせるため、二人はやってきたのだ。

「まあ、お前さんがたにゃ、どれも同じに見えるかもしれねえけどな」

「いえ」

蓮介は即座にかぶりを振った。決して適当な気持ちで答えたのではない。たしかに、どれも似てはいる。しかし明らかに光のかたちが違っていた。

「そうかい」

誇らしさを隠すためか、ひどくぶっきらぼうに言って、高畠はふんと鼻を鳴らした。

「どれもいいな……これ……いや、こっちか……？」

風見は一枚一枚の写真に顔を近づけたり遠ざけたり、目を見ひらいたり細めたりしながら、先ほどからうんうん唸《うな》っている。

「失礼します」

弥生が湯呑《ゆの》みの載ったお盆を持って入ってきた。風見が写真から顔を上げ、声を出さずに笑いかけると、彼女はちょっと照れくさそうに会釈《えしゃく》した。蓮介たちの前には客用らしいシンプルな湯呑みを、高畠の前にはごつい瀬戸物の湯呑みを置く。左の手首に、腕時計と並んでブレスレットが揺れていることに蓮介は気づいた。シュウメイがいつも着けているものに、よく似ているが、流行《はや》っているのだろうか。

湯呑みを置くと、弥生は一礼してテーブルを離れかけたが――そっと振り返って線香花火の写真を見た。

「綺麗《きれえ》なもんだろ」

「あ、はい、すごく」

「お前《めえ》、どれがいいと思う」

「え、あたしですか」

弥生はテーブルに顔を近づけた。耳元で髪を押さえながら、写真の一枚一枚をじっくりと眺めていく。

彼女がそうしているあいだ、蓮介はある一枚の写真を見つめていた。似てるな、と思ったのだ。小学生の頃、夢の中で見たあの線香花火によく似ている。夜の公園で時間を止めたとき、目の前に突然現れた繊細な光の鞠《まり》に。

「これがいいと思います」

弥生が指さしたのは、蓮介が見ていた一枚だった。

ほう、というような顔をして高畠がこちらに向き直る。

「お前さんがたは、どうだい」

「同じです」

先に蓮介が答えた。

「私も、それがいいんじゃないかと」

隣で風見が同意を示すと、それを待っていたかのように高畠がとんと指先でガラステーブルを叩《たた》いた。

「そいつぁほかのやつより、全体的にちょいと丸く見えるだろう。一つ一つの火花が、うまいこと同じ時間だけ燃えるようにしてあるんだ。火薬の配合で調整してるんだけどな」

蓮介と風見の顔を見比べて、高畠はにんまりと笑った。

「俺の自信作なんだ。綺麗だろ、ええ？」

六年前につくったというその線香花火をもとにして、広告用にさらに改良を加えると高畠は約束してくれた。

「風見、あと、いいか？」

　打ち合わせが一段落すると、蓮介は腕時計を覗《のぞ》いた。これからマストポールの会長、大貫照源と会う約束がある。昨夜自宅に電話がかかってきて、よかったら食事でもしないかと誘われたのだ。とはいえ、おそらく照源としてはただの食事のつもりなどではなく、例の業務提携の話を詰めようと考えているのに違いない。

「いいよ、あとで報告する」

「頼むわ。――高畠社長」

　別の仕事があることを高畠に伝え、今回の協力に対していま一度礼を述べると、蓮介は応接室を出た。弥生のデスクにちらりと視線を投げたが、彼女はちょうど電話をしているところだった。受話器を耳に押しあてて何か話しながら、首を突き出すようにして会釈する。蓮介は軽く頷《うなず》いて事務室をあとにした。

　商品棚の脇《わき》を抜けて出口に向かっていると、

「この前、何で隠れたんですか？」

　いきなり声がした。

　驚いて顔を向けたが、そこには商品棚があるだけだ。美容室にあるような首だけのマネキンが並び、ラテックスのリアルなマスクが被《かぶ》せられている。明石家さんま、鳩山由紀夫、タイガー・ウッズ、叶《かのう》姉妹の姉……いやアンジェリーナ・ジョリーか。

「この前、店のそばで、隠れましたよね?」

また声がした。身を屈《かが》めて見てみると、並んだマスクたちの奥、商品棚の向こう側に静也の顔があった。

「隠れてないけど」

「隠れたじゃないですか。こうやって」

静也は棚の向こうで、そばに積まれていた段ボール箱の陰にバタバタと隠れてみせた。

「そんな隠れ方はしてない」

「やっぱり隠れたんじゃないですか」

ほらみろという顔で、また棚の中に首を突っ込んでくる。

「あのナントカっていう部下の人と、椋森さんのこと、あれからつけたんですか?」

「つける?」

「だって、そのつもりで見張ってたんですよね」

どうやら静也は妙な勘違いをしているらしい。どう説明したものかと、商品棚越しに相手の顔を眺めていると、彼はふとうつむいた。そうかと思えば何か重大な決心でもしたようにまた顔を上げる。

「あの、もしよかったら教えてくれませんか。二人がその、どこ行ったとか、何したとか」

静也はこちらがまだ何も言っていないのに、「ちち違います」と首を振った。

「そんなんじゃありません。会社の先輩として多少心配しているだけです。ほんとにそれだけです」

「べつに――」

「だから、よかったら教えてください。あの二人、どこに何しに行ったんですか？」

蓮介は商品棚の向こうにある静也の顔をしばらく見つめていたが、やがて「さあ」と首をひねった。

「つけてないから、わからない」

静也はまだ何か言いたそうだったが、けっきょく小さく息を吐いて店の奥へと引っ込んだ。

「お断りします」

しばしの沈黙の後に蓮介が言葉を返すと、満面の笑みで返事を待っていた照源の表情がすっと変わった。いや、変わったのは目だけだった。両頰は丸く持ち上がり、口もとには黄ばんだ歯が覗き、目尻《めじり》には深い皺《しわ》が刻まれたままだ。ただ、二つの目だけが、肉食動物じみた色を瞬時に浮かべていた。

この目を一度見たことがあると、蓮介は思った。子供時代の日曜日、父の泰造に連れられて、東京にある照源の自宅へ遊びに行ったときのことだ。昼酒で陽気になった照源は、泰造と学生時代の昔話に興じていた。途中、妻の聡子《さとこ》が襖《ふすま》のあいだから首を差し入れて、電話を取り次ごうとした。あとで折り返しかけると照源は答えたが、急用らしいのだと言って聡子は電話の子機をおずおずと差し出した。照源は泰造に向かって片手を立て、受け取った子機を耳にあてた。微《かす》かに聞こえてきたのは低い男性の声で、どうやらマストポールの社員らしかった。いま思えば、休日の社長宅にかけてくるのだから、役員か、それに近い立場の人間だったのだろう。相手の話を聞き、照源は二言三言声を返していたが、あるときふっと目つきが変わった。両目が、いま蓮介に向けられているような肉食動物めいた色を帯び、それと同時に何か部屋の温度が下がったような感覚を蓮介はおぼえた。照源は物音もさせずに立ち上がった。大柄な身体《からだ》がゆっくりと襖を出ていき、やがて、ずっと遠くの部屋から、聞いたこともないような野太い罵声《ばせい》が、くぐもって響いてきた。

「理由を、聞かせてもらってもいいかな」

穏やかな口調だが、視線は蓮介の両目を捕らえたまま一瞬たりとも動かなかった。向き合った二人のあいだにはいくつもの皿が並んでいる。凝った盛りつけが施された料理は、どれもほとんど手つかずのままだった。この老舗《しにせ》料亭は、蓮介も何度か取引先との打ち合わせで使ったことがある、値段こそがいちばんの価値とでもいうような店だ。蓮介をここへ招いたのも、いま照源が見せている余裕と同じで、きっと一つの虚飾なのだろう。

「与信管理の専門業者をいくつか使って、経営状態を調べさせていただきました」

「どこまで？」

「まあ……大貫会長が僕に隠していた、大きな負債を知るくらいまでは」

しばし蓮介と視線を合わせていた照源は、やがて軽く頷いて目を伏せた。そうか、と一言呟《つぶや》いて目の前のビールグラスを取り、しかし中途半端《はんぱ》に持ち上げただけで、また卓上に戻す。

蓮介にマストポールの経営状態を深く探らせるきっかけとなったのは真絵美の言葉だった。はじめに業務提携の話が持ち込まれたとき、蓮介は業者に依頼してマストポールの経営状態を調べさせた。調査結果は、収支、債権、債務などすべて、配送業の大企業としてはごく標準的なものだった。しかし、バーで真絵美に会ったときに言われたあの言葉が、どうにも引っ掛かったのだ。蓮介は金融業界に顔が利《き》く役員に命じ、再度徹底的な与信調査をかけた。すると、収益と資産の水増しなど、様々な会計処理工作で巧妙に隠されていた巨額の負債が見つかった。

そのときになって初めて蓮介は、照源が事を急いでいた理由を知った。いまの状態では、マストポールは近い将来に倒産が見えている。それを避けるためには、何らかの大きな力が必要だというのは明らかだった。レゴリスとの業務提携は、その大きな力に十分なりうる。レゴリスは社内での流通から納品まで、すべての配送業務を一社に委託している。グロスの取引額は現状でもかなりのものであり、今後店舗数が増えていくにつれて商品や部品の流通量も比例して増加していくだろう。

レゴリスのほうも、マストポールとの業務提携ではメリットがないわけではない。照源が提示している配送料は現状のトランスネットよりも僅《わず》かに安い上、マストポールの配送システムは業界の中でもトップクラスの迅速さだ。が、万が一、今後マストポールが倒産してしまったときには、流通面で様々な弊害が生じる。それはあくまで一時的なもので、レゴリスにとってはもちろん大きな痛手ではないが、たとえどんな小さな傷であっても事前に避けられるのであれば避ける義務が蓮介にはあった。

「助けようとは、思わなかったのかな？」

いまならまだ間に合うぞというような響きを持たせた問いかけだった。

父親の高校時代の同級生だった照源を、蓮介は小さい頃から「大貫のおじさん」と呼んで慕っていた。川っぺりのおじさんと大貫のおじさんは、蓮介にとって親戚《しんせき》以上に身近な大人であり、大好きな年上の遊び相手だった。

「申し訳ありませんが」

蓮介は短く答えて頭を下げた。

首を揺らすようにして何度か頷くと、照源は座卓の縁に両肘《りょうひじ》を乗せた。顔の前で指を組み、そこへ唇を押しつけるようにして蓮介を見る。

「きみがレゴリスを興《おこ》した当時のことは、いまでもよく憶《おぼ》えているよ」

一見何の関わりもない話を、照源はのんびりした口調ではじめた。

「メーカー勤めの生ぬるい毎日に、あくびを嚙《か》み殺していたんだよな、あの頃。私がしょっちゅう酒に誘って、いろんな話をした。ビール、日本酒、焼酎《しょうちゅう》、ちゃんぽんでやりながら」

思い出をたどるように、照源は目を細めて顎《あご》を上げる。

「あの酒の席で、私が社長業の面白さを話して聞かせなかったら、きみは会社を興そうなんて思わなかったし、レゴリスも存在しなかった。きみだって、当時の気持ちはよく憶えているだろう？　私の話を聞いて、きみはいつも目をきらきら輝かせていた」

蓮介は視線を外さなかった。外してしまったら、これから返す言葉は無意味なものとなってしまうと知っていた。それどころか、かえってつけいる隙《すき》を相手に与えてしまうことになる。

「忘れました」

一瞬、照源の顔全体に力がこもった。その怒色はしかしすぐに跡形もなく消え、照源はふたたび穏やかな表情で、訊《たず》ね返すように蓮介を見た。

もう一度、蓮介は同じ言葉を繰り返した。

「忘れました」

蓮介の両目を見据えたまま、照源は動かなかった。

「ここの支払いは僕が持ちます。お力になれなかったので」

蓮介は膝《ひざ》を立てた。無言のまま動かずにいる照源に一礼し、襖に手をかけた。

「きみは、それでいいのか？」

ようやく照源が声を返した。

「いい……というのは？」

顔だけで蓮介は振り返った。

「私にそんなことを言っても、いいのか？」

含みを持たせた言い方だった。しかしそれが単に、ありもしない爪《つめ》を隠すという、照源が得意とする手管《てくだ》の一つだということが蓮介にはわかっていた。

「失礼します」

店を出たところで携帯電話が鳴った。

シュウメイの父親が死んだという報《しら》せだった。

＊＊＊

アパートの前で、男はぼんやりと立ちつづけていた。

あの人はなかなか出てこない。今夜はもう、どこにも出かけないのだろうか。

昨日の夜、あの人が部屋に入っていくのを見届けた直後、パトカーが赤色灯をつけてやってきた。警察官がぜんぶで四人、部屋へ入っていき、あとから白衣を着た男も入っていった。やがて担架が運び込まれ、その担架に、布を被《かぶ》せた長細いものが乗せられて出てきた。あれはきっと死体だ。たぶん、あの人といっしょに住んでいた男の死体。病気だろうか。手も足も細くて、両目も落ち窪《くぼ》んで、不健康そうな男だった。どうしよう。もう朝まで出てこないだろうか。ここにこうして立っているのと、家に帰ってあの人の写真と重なって眠るのと、どちらがいいだろう。

いつもと同じように悩み、いつもと同じように、男はけっきょくアパートに背中を向けた。街灯の光で腕時計の針を読み、ジーンズの尻ポケットから汚れたノートを抜き出すと、挿してあったボールペンで簡単なメモをとった。

ノートをポケットに戻してしばらく歩いたところで、スーツ姿の男が一人、自分と歩調を合わせてすぐ左側を歩いていることに気がついた。それまでまったく気配を感じていなかったので驚いた。歩きながら右のほうへずれようとしたら、そちらにも男がいた。なんだか挟まれているみたいだった。どちらも、ずいぶんと大柄だ。

「よろしいですか」

左側を歩いていた男が、すっと目の前に立ちふさがった。もう一人が音もなく背後に回ったのがわかった。

「あなたが持っている情報を、買わせていただきたいのですが」

―シュウメイ―

ハンヤンの慎ましい葬儀が終わった。

何もわからないシュウメイにかわってすべての手続を行ってくれたのはレゴリスの人々だった。ハンヤンの身体は火葬場で焼かれて白い壺《つぼ》に入り、いまはシュウメイの胸に抱えられている。

「しばらく、ゆっくりしたほうがいい。困ったことがあったら、遠慮なく連絡して」

葬儀に参列してくれた蓮介は、シュウメイの肩に優しく触れながら、葬祭場のヴァンに乗せてくれた。

ハンヤンの遺書のことは、警察官以外には話していない。

あの便箋《びんせん》には、ハンヤンなりの丁寧な字でこう綴《つづ》られていた。

自分は、本当は恥ずかしかった。もう生きていられないほど恥ずかしかった。人生に失敗し、その失敗に娘を巻き込み、最後には娘に借金を負わせてしまった。それでも感謝している。シュウメイには、心から感謝している。

それほど長くもない、単純な内容の遺書だったが、一読しただけで、ハンヤンが胸に抱えていたものがシュウメイの中にあまさずなだれ込んできた。

——中国のチキンスープみたいなもの?

——俺に訊《き》いてもわからんよ。

——お父さん、昔は料理人だったのにね。

あのときハンヤンが一瞬見せた顔。両目が消えて、そこにぽっかりと二つの穴が開いているように見えた。

シュウメイと向かい合って食事をするときハンヤンは、笑顔は見せても笑わなかった。会話しながら、娘の顔をまともに見ようとしなかった。きっと、見られなかったのだ。娘が買ってくれた食材で、娘の手でつくられた料理を食べている自分が、哀《かな》しくて仕方がなかったのだ。ハンヤンはシュウメイの顔を見ず、そのかわりに深夜、布団《ふとん》の上に座り込んで暗がりをじっと見つめていた。あのとき何もない暗がりには、自分の人生が映っていたのに違いない。いままで努力して、なんとか振り返らずにいた、自らの生き様がはっきりと映っていたのに違いない。二十年以上も必死に嘘《うそ》をつきつづけていたハンヤンが、どれだけの虚栄心と自尊心を持った人間なのか、娘であるシュウメイはまったく気づいていなかったのだ。

——じゃあね、お父さん。

ハンヤンが命を絶ったあの日、弥生に会いに出かけようとすると、父は小さくシュウメイの名前を呼んだ。え、と訊き返すと、しばらくシュウメイの顔をじっと見つめてから優しく微笑《ほほえ》んだ。

——ありがとうな、シュウメイ。

遺書の隣にきちんと置かれていた琉璃珠《リウリジュー》の腕輪。二十年前、九歳のシュウメイがハンヤンへのお土産に選んだのは、「太陽の涙の玉」と呼ばれる琉璃珠だった。

あのとき、服飾店の老店主は、玉の由来をシュウメイに話して聞かせてくれた。

昔、太陽は地上のすぐ近くにあった。人々は灼熱《しゃくねつ》の空気に耐えながら生きていた。しかしある日、人々はとうとう暑さに耐えきれなくなり、大鍋《おおなべ》に五粒の粟《あわ》を入れてぐつぐつと煮出した。そこから立ちのぼった蒸気が太陽に届くと、太陽は蒸気とともに空の高みへと昇っていった。高く高く天に昇りながら、太陽は愛《いと》しい地上との別れを哀しみ、ぽろぽろと涙を流した。その涙が、琉璃珠に変わったのだという。

——この玉には、永遠の想《おも》い、って意味が込められているんだよ。

老店主はそう言った。九歳のシュウメイは、自分や母のことを、父にずっと忘れないでいてほしかった。だからその腕輪をハンヤンへのプレゼントに選んだのだ。日本で成功して裕福な暮らしを送りながらも、自分たちのことをずっと想っていてほしかった。

忘れてしまったほうがよかったのだろうか。いまになってシュウメイは思う。愛情を抱《いだ》いていない娘から受ける援助であれば、ハンヤンはきっと恥と屈辱を命の対価になどしなかっただろう。

「葉月さん……」

外からドアを閉めようとした蓮介に、気がつけばシュウメイは呼びかけていた。どうして呼びかけたのか、自分でもわからなかった。

「見せたいものが、あります」

喋《しゃべ》るというよりも、何かが身体《からだ》の奥から言葉を押し出しているようだった。

「車に、乗ってくれますか？」

蓮介はしばらく意図を探ろうとするような眼差《まなざ》しを向けていたが、シュウメイが黙って見返していると、そのまま何も言わずシートに身体を滑り込ませた。

シュウメイは運転手に行き先を指示した。

「こういう生活を、送っていました」

箱に入れられ、白い布で包まれたハンヤンの骨壺を、胸にしっかりと抱えたまま、シュウメイは蓮介とともに部屋の入り口に立った。父といっしょに暮らした部屋。父が嘘をつきつづけていた部屋だった。

　ハンヤンの身体が横たわっていた部分だけ、畳が剝《は》がされ、壁に裏向きに立てかけてある。カーテンも、ハンヤンの血が散っていた左側半分は外され、部屋の隅にたたんで置かれていた。

「はじめは父が嘘をついていました。そのあとは、私が嘘をつきました。日本へ来て父の嘘を知ったつぎの日に、私は葉月さんに電話をかけました」

　まとまりのつかない断片的な言葉を、なんとか理解しようとしてくれているのか、蓮介は声を返さなかった。やがて、床を見つめたまま、シュウメイに短く問いかけた。

「……どうして？」

「恥ずかしかったからです。それに、いつまでもこのままではないと思っていたからです」

　身を屈《かが》め、シュウメイはハンヤンの骨壺を畳にそっと置いた。

「父は、私のせいで死にました。私が殺しました」

　視線を下げていた蓮介が、初めて顔を向けた。困惑しているその顔を見返してシュウメイは言葉をつづけた。

「父には借金がありました。その借金を、私のお金で返していました。父はありがとうと言ってくれました。笑っていました。私は父が可哀想《かわいそう》でした」

かたちのない、火のように熱いものが、頭の内側でふくらんでいた。両目を裏側から熱し、鼻の奥を燃え上がらせようとしていた。考える前に、言葉はつぎつぎと吐き出された。

「父にはお金がありませんでした。私にはお金が入りました。だからそれを渡しました」

言葉を止めることが、もう自分ではできなくなっていた。涙があとからあとから溢《あふ》れた。いつしかシュウメイは、蓮介のワイシャツを両手で摑《つか》みながら必死に訴えていた。

「可哀想だったからです。自分が助けてあげられると思ったからです。助けたかったからです。それはいけないことですか？　駄目なことでしたか？　誰かを大切に思うことで、どうしてその人が死ななければいけないんですか？　何が間違っていたんですか？　私は何をすればよかったんですか？」

シャツの布地を摑んだ両手を、シュウメイが力いっぱい動かすたび、途惑いを浮かべた蓮介の顔ががくがくと揺れた。シュウメイはもう、自分が何を言っているのかわからなくなっていた。言葉を発するたびに、頭の中で真っ赤な炎が爆《は》ぜた。

「……为什么《ウェイシェンマ》……为什么」

最後には、同じ言葉を繰り返すことしかできなくなった。为什么《どうして》というその問いかけ以外の言葉は、すべて無意味なものに思えた。涙が溢れ、シュウメイは蓮介のシャツを摑んだ自分の両手に顔を押しつけた。こみ上げる嗚咽《おえつ》の合間合間に、为什么ばかりを繰り返し、息を吸うことさえ忘れたシュウメイの声は、しだいに細く、弱くなっていった。歯を食いしばり、シュウメイは蓮介の胸を引き寄せたまま浅く呼吸をした。両腕がぶるぶると震え、少しでも力を抜いたら、哀しさと悔しさの中に自分がどろどろと溶け出してしまいそうだった。蓮介の腕が、ためらいをまじえた動きで持ち上がり、シュウメイの背中に触れた。その腕がやがて力強く背中を引き寄せ、「大丈夫」というほんの小さな囁《ささや》き声が耳元で聞こえたとき、それまで必死で摑んでいたロープが切れてしまったように、シュウメイは自分の感情に呑《の》み込まれた。

蓮介の胸にすがりつき、シュウメイは声を放って泣いた。父親の胸で泣いたこともなく、ずっと強く生きてきたシュウメイには、涙の止めかたがわからなかった。

―弥生―


「やっぱり、普通に友達になるのは無理だったのかな……」

朝七時、狭いキッチンで二人分の弁当をつくりながら、弥生は携帯のディスプレイを覗《のぞ》き込んだ。相変わらずメールの着信はない。

これまで三度、弥生はシュウメイにメールを送った。しかし返信が来たのは最初の一回、亮と三人でポテトチップスやたけのこの里を食べたあの夜だけだった。その最初の返信メールを、もうこれで何度目になるだろう、弥生はひらいてみた。

《とても楽しかったです　たなばたまつり　楽しみにしています》

差出人は「シュウメイ」とはなっていない。亮がまたいつアドレスを盗み見ようとするかわかったものではないので、「月牙の玉ちゃん」で登録し直してあった。ついでに、もともと登録してあった「シュウメイさん」のほうには、もはや自分にとって無意味だが何故《なぜ》か消せずにいた、翔太のアドレスを入れてある。

「迷惑がられてる感じじゃないよなあ……」

携帯を閉じ、弥生は唇を曲げた。

二度目のメールは一昨日、仕事の昼休みに送った。高畠社長は今日も声がでかいですという、まあ返信のしようもない内容のものだったので、メールが返ってこなくてもそれほど気にはならなかった。しかし昨日の夜、亮のリクエストで巨大明太子《めんたいこ》おにぎり自宅版をつくり、その写真を送ってみても返信はこなかった。弥生としては、おんちゃんでいっしょに食べた巨大明太子おにぎりはシュウメイとのちょっとした思い出になっていたので、寂しかった。

「お弁当、ここ置いとくからね」

キッチンから部屋に首を伸ばすと、亮は床に胡座《あぐら》をかいてネクタイを結びながら、教育テレビの『こん虫たんけんたい』を見ていた。

「あ、んん」

こちらに顔を向けずに答え、手に持った携帯のディスプレイをちらりと覗く。どういうわけか亮は、今朝からしきりに自分の携帯を気にしているのだ。

いつもより時間が遅くなってしまったことに気づき、弥生はばたばたと出勤の支度をした。途中、亮の携帯がメールの着信を報《しら》せたのが聞こえた。亮は何故か携帯を持っていそいそとトイレに入っていったが、やがて眉根《まゆね》を寄せて唇を結び、思い悩んだような顔つきで出てきた。

「姉ちゃん……モデルってフリーターの一種なのか？」

意味がわからなかった。

「あんた何言ってんの？」

「いや、何でもない。……俺、印象薄いかな」

「は？」

「いや、何でもない」

亮は難しい顔で首をひねり、弁当箱を通勤鞄《つうきんかばん》に押し込んだ。

いったい弟はどうしてしまったのだろう。

＊＊＊

アパートから駅へと歩きながら、亮は先ほどのメールのことを考えていた。

ゆうべ、弥生が風呂《ふろ》に入っているとき、亮はとうとう「シュウメイさん」のアドレスを盗むことに成功したのだ。すぐさまそのアドレスを自分の携帯に「シュウメイ様」で登録し、昨日の夜、意を決してメールを送った。

《リョウです！ このまえは楽しかったです。よかったらこんど、お食事でもどうですか？》

先ほどようやく返ってきた「シュウメイ様」からのメールは、こんな内容だった。
《リョウちゃん、どこで会った子だっけ？　暇なら遊ぶ？　こっちはフリーターなのでいつでもＯＫだよ！》
嬉《うれ》しいのだか哀しいのだか、判然としない気分で亮は改札口を抜けた。

――蓮介――


プロジェクターから映像が投影されているあいだ、誰一人身動きもしなかった。広告宣伝部のスタッフたち、風見、蓮介――。

会議室に集まった面々は、呼吸さえ忘れかけて目の前のスクリーンを見つめていた。

「……なんか、すごいでしょ」

映像が終わったとき、風見がぼそりと呟《つぶや》いた。白くなったスクリーンの光に照らされたその顔は、半笑いを浮かべているが、両目はどこか困惑しているようでもあった。

制作会社から届いた、ＣＭの完成映像だった。

本当は蓮介も風見も、父親の死による精神的なダメージが大きいシュウメイをしばらく休ませようと考えていたのだ。しかし彼女のほうから連絡をしてきて、仕事の続行を願い出た。ちょうどそのとき、高畠商会から線香花火が完成したという報せも届き、広告宣伝部は制作会社とともに再始動して、CMと広告パネルを完成させたのだ。

高畠商会から届いたオリジナルの線香花火をスタジオで燃やしてみたとき、はじめはその場にいた誰もが途惑った。ありていにいえば、期待していたような美しさではなかったのだ。しかしカメラテストで撮影した映像をモニターで見た瞬間、蓮介たちはそんな感想を持った自分たちを恥じた。そして、高畠が予《あらかじ》めCM映像の明るさやカメラワークなどを詳しく訊《き》いていた理由がようやくわかった。――モニターの中で燃えているのが、肉眼で見たのと同じ線香花火だとはとても思えなかった。コヨリの先で弾《はじ》けた繊細な火花は、暗がりを真《ま》っ直《す》ぐに飛んで枝分かれし、また枝分かれして、あるところでふっと闇《やみ》へ溶け消えていく。その金色《こんじき》の軌跡は、奥ゆかしく光る火種を中心に周囲へと均一に広がり、全体として美しい球形をかたちづくっていた。そしてそのかたちはやはり、蓮介が子供の頃に見た、あの線香花火によく似ていた。あんなに綺麗《きれい》な花火は、夢の中だけにしかないと思っていたのに。そして、その線香花火を手に持つ、浴衣《ゆかた》姿のシュウメイ――暗がりに浮かぶ彼女の顔には、演技では決して表せない深い憂《うれ》いが刻まれていた。それが皮肉にも線香花火の風情《ふぜい》を引き立て、画面が切り替わってあたたかい家族の顔が映ったときは、そのコントラストが見る者の目を強烈に引きつけた。

新しいＣＭは、蓮介たちの想像をはるかに超えたものとなった。

「蓮さん」

デスクの下で、風見がこっそり拳《こぶし》を差し出してきた。

「当たるね、絶対」

蓮介は黙って拳をこつんと合わせた。

明るい廊下に出て社長室に戻ると、雉畑からのメモがデスクに置かれていた。マストポールの大貫照源から連絡があり、至急蓮介に会いたがっているらしい。雉畑に内線電話をかけて詳細を訊《たず》ねると、相手は珍しく困ったような声を返した。

『それが、詳細を言わないんですな。ただ、どうしても社長にお見せしなければならないものがあるのだと……それだけ』

「こういうことがあると、よくわかるだろう。恩を返すことの大切さが」

悩ましげな顔で、照源は咥《くわ》えていた煙草《たばこ》に火をつけた。

マストポールの会長室で、二人は応接テーブルを挟んで向き合っていた。外でできる話ではないからと言われ、蓮介はわざわざやってきたのだ。テーブルの上には五枚の写真が並んでいる。それらは同じ写真のようで、僅《わず》かずつ違う。どうやら連続して五回、シャッターが切られたらしい。

——若い男が、雑誌社に売りつけたものだ。

ソファーに蓮介を座らせたとき、照源は前置きなしにそう言ってテーブルに写真を並べはじめた。

——そこの編集部の責任者が、たまたま私に恩のある男でね、内密に教えてくれた。きみと私が昵懇《じっこん》なのを、知っていたんだな。さすがにまずいだろう、これは。こんなものが週刊誌に載ったら、きみの会社は確実に痛手を負う。広告塔である「謎《なぞ》の女」が、単なる社長の愛人だったなんて知れたらな。

写っているのは蓮介とシュウメイだった。彼女のアパートの、カーテンが取り外された窓越しに撮られたもののようだ。蓮介の胸にシュウメイが顔を押しつけ、蓮介は彼女の背中を抱いている。蓮介の顔は、どれもはっきりと写っていた。シュウメイの顔は、三枚が自分の手と蓮介のシャツに隠れて不明瞭《ふめいりょう》で、一枚は髪の毛が邪魔していて見えず、しかし残りの一枚にはしっかりと目鼻が捉《とら》えられていた。

——危ないところだったよ。彼が恩義を大切にする男でよかった。そのまま知らんぷりを決め込んで、買い取ったこの写真を誌面に載せてしまうことだってできたんだからな。

この五枚の写真は、雑誌社から照源が自分の金で買い取ったのだという。

「なんだかわざとらしいようだが……きみも、少し考えるべきだと思わないか？」

「考えるべき、と言いますと？」

この部屋のソファーに座らされてから、蓮介は初めて口をひらいた。照源の目を見返すと、彼は苦笑して顔を横に向け、ワイシャツの肩に吹きかけるようにして煙を吐いた。

「業務提携の話以外にないだろう。以前から進めている、あの話だ」

「以前から、ではありません。以前に進めていただけです。その話は先日立ち消えになったはずです。私がお断りするかたちで」

指で挟んだ煙草から立ちのぼる煙越しに、照源はしばらく蓮介の顔を無表情に見つめていたが、やがて「なるほど」と口の中で呟いた。

「たしかに、一度は立ち消えたな。でも、そのときといまでは事情が違う」

「違いますか？」

とん、と照源は長くなった灰を灰皿に落とした。

「これが、事情を変えたとは思わないかな？」

穏やかに言いながらテーブルの写真を見下ろす。

蓮介は首を横に振った。

「写真を雑誌社から買い取ってくれた、そのお気持ちには感謝します。しかし、それと業務提携の話はまったく関係がありません」

照源は相手が知らない言語を喋《しゃべ》ったとでもいうように、口をすぼめて眉根を寄せた。

「私の言いたいことがよくわかっていないようだが……この写真は、いまからその雑誌社に返してやることもできるんだ。今日すぐにでも。それがどういうことだか、きみは理解できているのかな?」

「そのつもりです」

蓮介は腕時計をちらりと覗《のぞ》いて立ち上がった。

「そんな写真で、レゴリスは傷を負いません。よしんば傷を負ったとしても、小さなものです。すぐに跡形もなく治してみせますよ。もし気が変わって雑誌社に売り戻したくなったら、いつでもそうしていただいて結構です」

一礼し、会長室を出ようとすると、背後から声が追いかけてきた。その声は、まるで相手を食事にでも誘っているような気軽なものだった。

「しかし……愛人である『謎の女』が窃盗犯だったことがばれたら、どうなるだろうな」

　立ち止まり、蓮介はゆっくりと照源に向き直った。

「……何のことです？」

　照源は蓮介の顔を見返して小さく首をひねった。

「その様子からすると、知らなかったようだな」

　しばし、そのまま目を合わせていた。無言のかけひきに勝ったのは照源で、蓮介は唇を結んだまま引き返し、先ほどと同じ位置に座った。

「お話しいただけますか」

　照源は鷹揚《おうよう》に頷《うなず》き、わざとらしいほどのゆっくりとした仕草でテーブルの写真を一枚一枚拾い集めていった。そうしながら蓮介に、驚くべきことを話して聞かせた。

　日本へやってきた当初、シュウメイは服や装飾品や化粧品をいくつも万引きしたのだという。そしてその現場を、蓮介との写真を撮った若い男が見ていた。彼はシュウメイがどの店で何を盗んだのかを、すべてノートにチェックしていたらしい。

「ストーキングってやつなんだろうな。それからも朝から晩まで、つけられるかぎりつけて歩いていたらしい。まあしかし、大丈夫だ。心配はいらんよ」

　照源は立ち上がり、デスクの引き出しから一冊の小さなノートを抜き出して戻ってきた。ポケットサイズのキャンパスノートで、空色の表紙は表面が汚れて黒ずみ、角はこすれてめくれている。

「このノートも、私が買い取った。写真といっしょに、男が雑誌社へ売りつけていたんだ」

照源はノートを蓮介のほうへ向け、ぱらぱらと中身を見せた。汚い手書きの文字で、日付と短い文章が綴《つづ》られている。文字を読むことはほとんどできなかったが、どうやらシュウメイの行動がメモしてあるようだ。最初のページの一番上に書かれた日付が、蓮介の目を捉えた。憶《おぼ》えのある日付だった。日本へやってきたシュウメイが、蓮介に連絡をくれた日だ。その日付を見たとき蓮介は、そのノートがつくりものではないことを知った。

――日本へ来て、父の嘘《うそ》を知ったつぎの日に、私は葉月さんに電話をかけました。あの日に、シュウメイは万引きをしたのだろう。着飾って蓮介に会うために。自分は金に困ってなどいない、金のために心変わりしたのではないと思わせるために。

「社長と広告モデルが男女の関係にあっても、べつに悪いことをしているわけじゃない。それはたしかにきみが言ったとおりだ。しかしなあ……犯罪となると話は変わってくる」

照源の言葉は間違っていなかった。

この一冊のノートは、レゴリスの屋台骨を揺るがす可能性を十分に持っていた。マスコミがこのノートの存在を知れば、すぐさま飛びついてくるだろう。世間でさんざん噂《うわさ》されている「謎の女」は窃盗犯だった——彼らにとっては垂涎《すいぜん》ものの好餌《こうじ》だ。マスコミだけではない。これが警察に渡ったら、このノートをもとに、被害に遭った店の商品データや監視カメラを確認される可能性もある。そうなれば書かれた内容が事実かどうかなど容易に露呈してしまう。

「きみとは付き合いが長いから飾らずに言わせてもらうが……うちとの業務提携は、蹴《け》らないほうがいい」

両手でもてあそんでいたノートを、照源は唐突にテーブルの上へ放り出した。上体を前傾させて蓮介に顔を近づける。

「脅しているようで、心苦しいんだがね」

「……考えさせてください」

短い言葉を返すのが精いっぱいだった。

なるべく早い回答を期待していると、照源は言った。

「それから、配送料のほうも、できればこれまで話していた額よりも、少しだけ上げさせてもらえると助かるよ」

　勝利を確信した人間特有の昂《たか》ぶりが、唇の端に覗いていた。蓮介は咽喉元《のどもと》に力をこめて感情を押し殺し、ソファーから立ち上がった。

「検討しておきます」

　照源に背を向けてドア口へと向かった。そのまま出ていくつもりだった。しかし、真鍮《しんちゅう》のノブに手をかけたとき、耐えきれずに振り返った。

「……大貫のおじさん」

　照源をそう呼ぶのは、十年ぶりのことだった。

「その写真とノート、ストーキングしていた男から、おじさんが直接買い取ったわけじゃないですよね？」

　照源は肯定も否定もしなかった。しかし彼の目が、蓮介の考えが正しかったことを教えていた。ドラム缶の底を覗いたような、無感情な目。照源のそんな目を見返しながら、蓮介はどうしようもなく哀《かな》しかった。

　蓮介の弱みを、おそらく照源は探偵業者なりを使って独自に探っていたのだろう。レゴリスと業務提携し、会社を立て直すために。そして、シュウメイへのストーキングをつづけている若者の存在を知った。照源は彼から無理やりそれらを買い取った。

いや、金など払ってはいないのかもしれない。ストーキング行為を種に脅しをかけ、写真やノートを無理やり奪ったのかもしれない。そもそも写真のほうは、若者が撮ったのではなく、照源が業者を使って撮らせた可能性もある。

蓮介はマストポールのビルを出た。

建物の隙間《すきま》から夕焼けが覗き、オフィス街の歩道は帰宅の足で賑《にぎ》わっていた。雑踏の中、蓮介は行き先も考えずに歩いた。歩いて、歩いて、歩いた。気がつけば道の左右からオフィスビルが姿を消し、飲食店のネオンが雑然と光っていた。空が暗い。同僚と楽しそうに喋りながら歩く男たち。彼らは肩を並べたまま、居酒屋の暖簾《のれん》をくぐって中に消えた。家具メーカーに勤めていた頃、照源に連れられて酒を飲みに行ったときのことが思い出された。酒のちゃんぽんで酔っ払った照源は、子供がゲームの話でもしているように身を乗り出して、社長業の楽しさを語った。同じ話をときおり繰り返しながら、いつまでも夢中で語っていた。

人混みの中で、蓮介は足を止めた。

すぐ後ろを歩いていた若い女性が、肩をぶつけてよろめいた。小さく舌打ちをし、ヒールを鳴らして歩き去っていく。店のメニューを持った居酒屋の呼び込みが、明るい声を上げながら道行く人の注意を引こうとしていた。人々は様々な顔をしながら歩いているが、笑っている顔がいちばん多いように思えた。そうしてしばらく行き交う人々の顔を眺めているうちに蓮介は、今日が金曜日であることを思い出した。目の前を流れていくこの笑顔は、休日を先取りした笑顔なのだろう。レゴリスを興《おこ》す前は、自分もきっと金曜日にはこんな顔をしていたに違いない。

蓮介は人の流れにふたたび紛れ込んだ。真《ま》っ直《す》ぐに足先を見つめたまま、多くの人が向かう先に自分も向かった。駅が見えてきた。賑やかだが単調なざわめきを聞きながら、蓮介は改札を抜け、もう長いこと体験していなかった、身動きもとれない満員電車へと自分の身体《からだ》を押し込んだ。

周囲から全身を押さえつけられながら両目を閉じた。電車が揺れ、それはおそらく慣れた人々にとっては大した揺れではなかったのだろうが、蓮介はよろめいた。踵《かかと》で何かを踏んだ感触があり、後ろに立っていたスーツ姿の男が短く声を上げた。振り返って謝ると、先ほど居酒屋の建ち並ぶ路地で聞かされたような舌打ちだけが返ってきた。

——蓮介くん、そのお金で何を買うんだ？

曖昧《あいまい》にしか思い出せずにいた子供時代の光景が、いつのまにか瞼《まぶた》の裏に鮮明に浮かんでいた。

——わかんない。

「家具の葉月」の作業場で、十円玉を並べて遊んでいたあのとき。

——何か欲しいものはないの？

——べつにないよ、欲しいものなんて。

泰造がデスクから顔を上げて笑いかけた。

——そうやって十円玉を並べているだけで満足できるんだから、蓮介は安上がりだ。そういう奴《やつ》は将来ぜったいに幸せになる。

——幸せ？

——そう、お前は幸せになる。絶対にな。

日暮里駅で電車を降りた。

おんちゃんの前に立ち、引き戸にそっと手をかけたが、その手を横へ動かすことがどうしてもできなかった。店の中から一瞬、楽しそうな笑い声が聞こえてきた。たぶん、あのニッカボッカのスーさんだ。

引き戸にかけていた右手が、少しずつ下がっていった。明るい磨《す》りガラスを見つめたまま、蓮介は一歩後退した。小さく息をつき、店の前を離れようと踵《きびす》を返したそのとき、すぐそばで自転車のブレーキが鳴った。

「……葉月さん？」

—弥生—

「あそこの店員、おにぎりをあたためるかどうか訊《き》いてきたぞ」

弥生がベンチに座って待っていると、蓮介が凸凹にふくれたレジ袋を抱えて戻ってきた。

「どこのコンビニでも訊かれますよ。え、そんなに買ったんですか？」

「弟も家で晩飯待ってんだろ」

「あ、はい」

意外なことを言う。それが表情に出てしまったようで、蓮介は誤魔化すようにレジ袋の中を覗き込んだ。

「梅、コンブ、ツナマヨ、イクラ……イクラ？　寿司《すし》かこれ」

高畠商会からの帰り、おんちゃんの前で蓮介と会った。晩飯を付き合ってくれと、何の前置きもなく言われ、どこへ連れて行かれるのかと思えば、二人で線香花火を燃やしたこの児童公園だったのだ。

「お茶、これ」

「どうも」

「あ、どっちでも」

「冷たいやつとあったかいやつがあったけど」

「冷たいやつしか買ってない。サケ、コウサイ……あ高菜《たかな》か」

蓮介はレジ袋からおにぎりをひとつひとつ取り出しては二人のあいだに並べていく。立てて並べていくので、上から見ると何が何だかわからなかった。

「もしかして、元気ないですか？」

「誰が」

「葉月さんです」

「べつに、どうもない……たらば蟹《がに》マヨネーズ」

「そうですか」

「明太子、ネギ味噌《みそ》チャーシュー……ラーメンか」

「おんちゃんの巨大明太子《めんたいこ》おにぎり食べたいですね」

「人がこんなにおにぎり買ってきたのにそういうこと言わないように……おかか」

「すいません」

「いいよ……スジコ……スジコ？　イクラもスジコもあんのか」

二人のあいだのおにぎりはどんどん増えていく。蓮介は相変わらず顔を上げようとしない。

何かを懸命に誤魔化そうとしているように、弥生には思えた。

「あそうだ、シュウメイさん元気ですか？」

訊くと、言葉が返ってくるまでに少し間があった。

「元気だけど？」

下を向いたまま短く答える。シュウメイのことを訊いたのは、単に彼女からメールの返事がないのが気になっていたからだが、その反応から、蓮介の疲れた横顔はシュウメイに何か関係しているのかもしれないという気がした。しかし、彼女から連絡先をこっそり教えてもらったことは蓮介には話せない。

「そうですか」

それ以上何も言えず、弥生は並んだおにぎりに視線を落とした。

「……トリ五目、と」

端っこに最後の一個を置き、蓮介はレジ袋をくしゃくしゃに丸めた。しかし、丸めても意味がないと思ったのか、またひらいて膝《ひざ》の上で皺《しわ》を伸ばしはじめた。

この前ここへ来たときよりも、周囲が少しだけ明るい気がする。そう思って顔を上に向けてみたら、公孫樹《いちょう》の樹冠から飛び出すようにして真っ白な満月が浮かんでいた。

「はい、なぞなぞ」

急に、蓮介が弥生に顔を向けた。

「え、またですか」

「そう、また」

「十円玉が何に見えるかとか？」

冗談めかして言うと、蓮介は唇を曲げて考え込むような顔をする。

「ああ……近いな」

「それなら自信ありますよ。凝った問題は苦手ですけど、そういうのなら」

「当たったらイクラ食わしてやる」

「スジコがいいです」

「スジコ食わしてやる。――幾何学の問題です。ある方向から見ると丸で、別の方向から見ると一本の線に見えるものは？」

「キカガク……」

いかにも自分の苦手な響きを持つ単語だったが、弥生はチャレンジすることにした。頭の中に何かのかたちを思い浮かべるのは昔から不得手なので、月明かりと街灯に照らされた地面に、スニーカーの踵《かかと》で絵を描いてみる。横棒を一本。その隣に丸。

答えはすぐにわかった。

「わかりました、円です、円」

蓮介に向き直ると、相手は微《かす》かに笑って頷《うなず》いた。

「簡単ですよ、そんなの。キカガクとかいって恰好《かっこ》つけて……あれ、スジコってどれでしたっけ」

弥生がベンチの上でスジコのおにぎりを探していると、

「で、す、が」

蓮介が人差し指を立てて言った。

「……ですが？」

「いまのはまだ問題の前半でした」

「じゃ、つづき言ってくださいよ」

「ある方向から見ると丸で、別の方向から見ると一本の線で——」

「同じゃないですか」

弥生を無視して蓮介はつづけた。

「別の方向から見ると四角くて、また別の方向から見ると女の人が泣いている顔に見えて、また別の方向から見ると男の人が怒っている顔に見えて、また別の方向から見ると子供が悔しがっている顔に見えて、大きくて、小さくて——」

急に疲れてしまったように言葉を切り、弥生に顔を向ける。

「はい、何でしょう」

弥生は考えた。いや、考えたというよりも、自分に向けられた蓮介の目の奥にあるものを探ろうとした。

やがて、弥生はそこに、ある答えを見た気がした。

「もしかして——」

「それも、円だったりします？」

月明かりに浮かんだ蓮介の顔に、微かな驚きが浮かんだ。

「つまり……お金？」

蓮介は肯定も否定もしなかった。ただ黙って二人のあいだに並んだおにぎりの中から一つを取ると、弥生に差し出した。パッケージを見てみたら、スジコだった。

「いただきます」

弥生はおにぎりのビニールを剝《む》いた。

「昔……田舎で暮らしてたときさ」

自分もおにぎりを剝きながら言う。

「神通川っていう川のすぐ脇《わき》に住んでたおじさんと、仲がよかったんだ。川っぺりのおじさんって呼んで、いつも遊んでもらってた。釣りを教えてもらったり、カンフーごっこしたりして」

おにぎりの頭をぱりっと囓《かじ》り、もぐもぐやりながらつづける。

「そのおじさん、もう遠くに行っちゃったんだけど、よく言ってた。この世の中にあるものは、みんな人間の幸せのために生まれてきたんだって。テレビも電話も家具も、お金も、ぜんぶ」

話のつづきを待っていたのだが、蓮介はおにぎりを食べながら黙り込んだ。弥生も自分のおにぎりを食べ、ペットボトルのお茶を飲んだ。蓮介がようやくまた喋《しゃべ》りはじめたのは、二人ともおにぎりを食べ終えてからのことだった。

「俺、子供だったから、ほんとだと思ってた」

指についたごはん粒を歯で囓り取りながら言う。

「いまは、違うんですか？」

答えず、蓮介は空に目を向けた。

「もっと食えば？」

「あ、はい」

適当に一個選んだ。高菜だった。ビニールを剝いて食べようとしたとき、風が吹いて、蓮介の膝からレジ袋をふわりと浮かせた。袋は地面に落ち、くすくすと笑い声のような音を立てながら移動していく。蓮介はベンチから立ち上がって追いかけ、ずいぶん遠くでようやく袋を拾い上げると、身体《からだ》を起こしながら弥生を振り返った。

「はい、本日最後の問題です」

表情はよく見えない。

「『レゴリス』とは何でしょう」

「レゴリス……？」

そういえば知らなかった。いったい何なのだろう。弥生は頭をひねってみた。

「レゴなら知ってます。子供の頃、弟とよくやりました」

「はい正解」

蓮介は手を打った。

「レゴでつくったリスでした」

「え、ほんとですか？」

さすがの弥生も、それはないだろうと思って訊き返したが、やはり嘘《うそ》だった。

「そんなもん社名にしないだろ」

「ですよね」

レジ袋を両手の中でくしゃりと丸め、蓮介は顔を上に向ける。

「正解は、あれ」

「あれ……って、月？」

蓮介は首を横に振り、「月の砂」だと答えた。

「月の表面全体は、砂にびっしり覆《おお》われてる。その砂のことを、レゴリスと呼ぶ」

へえ、と口をあけて弥生も月を見上げた。

「俺、自分の会社でつくった家具を、世の中に広めてやろうと思ったんだ。月の砂みたいに、びっしり地面全体を覆いつくすくらい、どの家にも。だってほら、家具がない家なんてないだろ？　だから、頑張ればそんなこともできるんじゃないかって。

——川っぺりのおじさんが言ってたように、家具も人間を幸せにするんなら、自分でつくった幸せを世の中全体に広めてやろうって」

月を見上げたまま、蓮介はつづける。

「でも、安い家具で勝負しようとしたら大企業にはぜんぜん敵《かな》わなくて、だからこっちはデザインを洗練させた高級家具で勝負してやろうって考えて、高級なものを売るんならとにかく営業力を強くしなきゃいけないと思って――」

言葉を切り、弥生に顔を向けた。

「いま考えると、そのあたりからだんだん、最初にやりたかったことと変わってたんだよな。自分のやってることが。でも、会社が大きくなってくると、金もたくさん入るようになって、社員たちにもある程度高い給料を払ってやれるようになって……給料が高いんだから、それだけの結果を出してこいなんて言うようになって」

ほんの少し、蓮介の顔に笑みが浮かんだ。

「いまはもう、まったく違うことやってる。最初に考えてたのと、まったく違うこと」

とても寂しそうな笑みだった。

金のことは、よくわからない。会社を経営する人の気持ちも、なかなか理解することなんてできない。弱々しく微笑《ほほえ》んでいる蓮介に、弥生は何か言ってあげたかった。しかし、言葉が見つからなかった。

あれこれと言うべき言葉を探していると、蓮介が近づいてきた。何をするかと思えば、ベンチの上のおにぎりを一個一個、レジ袋の中に戻していく。

「弟、家で飯待ってんだろ？　そろそろ帰ってやらないと」

「あ、はい」

ふたたび凸凹にふくれたレジ袋を渡された。ただ渡すだけよりもほんの少し長く、蓮介は袋の持ち手を握ったままでいた。

「ありがとうございます」

弥生が礼を言うと、蓮介は何か言いかけたが、けっきょく息だけで笑って小さく首を横に振った。

＊＊＊

「……へえ」

植え込み越しに、風見は二人の姿を眺めていた。

肩から斜めに提げたバッグが、ノートパソコンのせいで重たい。完成したＣＭ映像をどうしても弥生に見せたくて、風見は彼女の仕事が終わる頃に高畠商会へ足を向けたのだった。しかし一足違いで、弥生はすでに退社していた。そのまま帰るのも何なので、まだ事務室に残っていた高畠夫妻と営業の二人、そして静也に、応接室でＣＭ映像を見せると、誰もが出来栄《できば》えに驚いてくれた。高畠などは目を微かに濡《ぬ》らし、レゴリスからの依頼を断らないでよかったと呟《つぶや》いた。

――あの。

店を出ようとすると、静也がおずおずと声をかけてきた。

――この前……。

――この前？

何でもありませんと言い、けっきょくそのまま事務室に引っ込んだ。

きっと、弥生のことを訊《き》きたかったのだろう。顔つきと態度から容易にわかった。彼は弥生に気があるのに違いない。もっとも、本人には大変申し訳ないけれど、だからといって風見はどうとも思わなかった。ただ――。

「こっちは強敵だよな……」

ベンチの前で向かい合う二人を見ながら、風見はぽりぽりと顎《あご》を掻《か》いた。学生時代に夢中になっていたアーケードゲームで、何度やっても蓮介に勝てなかったことが思い出された。

第五章　哀《かな》しい別れ／寂しい祭り

—弥生—

弥生の携帯にシュウメイからのメールが来たのは午前十時過ぎのことだった。

《ずっと連絡できなくてすみません　父が死にました　そのことでいそがしくしていました》

え、と思った。

父親と二人で暮らしていることは散歩デートの途中で聞いていた。その父親が死んでしまったというのか。事故だろうか。病気だろうか。弥生はすぐに返信しようとしたが、何と打てばいいものかわからない。

「椋森さん、これ発注しといて」

向かいの席から静也が発注書を差し出した。

「あれ、どしたの？」

「え」

「珍しく真剣な顔してるけど」

シュウメイのことを伝えようとして、ためらった。連絡先を教えたことは、ほかの人には内緒にしてくれと言われていたのだ。彼女の家族が亡《な》くなったことを、いまここで勝手に話していいものかどうか弥生には判断がつかなかった。

「べつに……何でも」

「あそう？」

静也に指示された商品の手配を済ませると、弥生は携帯電話を持ってトイレに入った。

《昼休みになったら電話してもいいですか？》

席に戻って仕事をつづけたが、シュウメイからの返信はなかった。十一時を回った頃にメールが来たが、亮からだった。

《今日晩飯いらねえぜ。もしかしたら遅くなるかも！》

やけに元気のいいメールだったが、返信するのも面倒で、そのままにしておいた。

十二時を過ぎて昼休みになった。弁当をひらいたが食べる気になれず、どうしたものかと悩んでいたら携帯が鳴った。メールではなく電話だ。ディスプレイに「月牙の玉ちゃん」と表示されているのを見て、弥生は慌《あわ》ててデスクを離れた。

『メールをもらっていたのに、ずっと返信しなくてすみませんでした』

「そんなのいいですよ。シュウメイさん、大丈夫ですか？　お父さんが――」

口もとを手で覆《おお》いながら、店の中を抜けて表の路地に出た。照りつける真昼の日射《ひざ》しに背中を向けてシュウメイの声に耳をすました。耳をすまさないと聞こえないような、弱い声だった。

『平気です』

「いま、お家《うち》にいるんですか？」

訊《き》くと、飯田橋にある大きなホテルの名前をシュウメイは答えた。

『レゴリスが借りてくれました。お父さんは、家で死にました。だから、そこにいないほうがいいと言われて』

家で死んだということは、事故などではなさそうだ。しかし父親が病気を抱えているというような話もシュウメイからは聞いていなかった。単に言わなかっただけだろうか。

「あの、お父さんは、何で……？」

しばらく、シュウメイは黙り込んだ。

「仕事が終わったら、ホテルまで行ってもいいですか？」

何があったのかはわからないが、弥生は少しでもシュウメイを元気づけてあげたかった。

『今度、話します』

考えるような間があってから、返事が聞こえた。

『今日も、またたくさん泣いたので、顔を見られたくないです』

弥生は素直に引き下がることにした。

「わかりました。でも、困ったことがあったら、いつでも言ってくださいね」

『ありがとうございます』

その声に本当の感謝が込められているのがわかり、弥生はいっそう哀しくなった。自分はどう頑張ったところで大してシュウメイの役になど立てないし、それは彼女だって承知しているに違いない。それでもこんなにありがたそうに言葉を返してくれるほど、彼女は心が弱っているのだ。

しばらく休んだら、またモデルの仕事を頑張るつもりだとシュウメイは言った。そのときだけ、声にしっかりと芯《しん》が入った。

「応援してます。時間ができたら、またいっしょに散歩しましょうね」

『七夕祭りも、楽しみにしています』

憶《おぼ》えていてくれたのだ。

「行きましょうね」

そう答えると、ほんの僅《わず》かな、微笑《ほほえ》み返すような吐息が聞こえてきた。


—蓮介—


午後八時過ぎ、蓮介はホテルのエレベーターを降りた。シュウメイのいる部屋へ向かって静かな廊下を歩きながらも、まだ現実感がわかなかった。

まさかシュウメイに、こんな事実を伝えるときが来るとは思ってもみなかったのだ。

——彼女を広告モデルとして使いつづけるのは危険です。

夕刻、社長室のソファーで向き合った雉畑は、蓮介がすべての経緯を説明すると、長い沈黙のあとでそう答えた。それは予想していたとおりの言葉であると同時に、蓮介が口にできずにいた言葉でもあった。

——仮にマストポールと業務提携をして、万引きの情報を外部に漏らさないよう約束させたところで、いつ大貫会長の気が変わるか知れない。ひとたび情報が外部に漏れれば、もう取り返しがつきません。

まさにそうなのだ。照源に情報を漏らさないよう約束させたところで、その情報が存在することにかわりはない。もし何かの拍子に流出してしまったとき、その時点でのシュウメイの知名度が高ければ高いほどマスコミは勢いよく飛びつくだろう。

――くすぶっている火種がある以上、引火する可能性があるものは引き上げるべきかと。

「引火する可能性のあるもの」には、広告パネル、テレビCM、そしてレゴリスの広告モデルとしてのシュウメイ本人まで、すべてが含まれていた。

――完成した新CMや広告パネルも、使用はとりやめにして、別のものを用意しなければいけません。

部屋のドアをノックすると、小さく返事が聞こえてきた。

「葉月です」

言ってから蓮介は、シュウメイに敬語を使うのは、彼女が自分に連絡をくれてレゴリスの本社で会ったそのとき以来だと気がついた。

ドアの隙間《すきま》から覗《のぞ》いたシュウメイの顔は、ひどくやつれていた。頬や額は病人のように蒼白《あおじろ》く、目のまわりだけが痛々しく赤らんでいる。

「少し、話をしてもいいかな」

普段どおりの声を出したつもりが、失敗したらしい。シュウメイは不安げな表情で頷《うなず》いて蓮介を室内に招じ入れた。


「会社としては、それ以外に方法が見つからなかった」

マストポールや照源の名は出さず、蓮介はシュウメイに経緯を説明した。アパートで写真を撮られていたこと。ストーカーの存在。万引きの詳細をメモしたノートが存在すること。向かい合ったカウチで、シュウメイは終始うつむいたまま目を伏せて話を聞いていたが、やがてぽつりと呟《つぶや》いた。

「レゴリスとは、もう関係がなくなってしまうんですね……」

黙って頷くしかなかった。さんざん考え、レゴリスの社長としての決断を下したうえで、ここへやってきたのだ。会社を守るためにはシュウメイとの関係を完全に断たなければならない。たとえば広告モデルを降板させ、何か別の仕事を与えたとしても、窃盗罪の証拠を握られている人間を働かせていることに変わりはない。たかが洋服。たかがバッグ、化粧品、アクセサリー——しかし商品の価値は関係ないのだ。一度はこれほどの知名度を持ってしまったシュウメイの、小さな犯罪に、マスコミはこぞって飛びつくだろう。そのときシュウメイがどんな立場にいたとしても、レゴリスとの関係がつづいていれば、報道によって会社は確実にダメージを受ける。

「お世話になったのに……私が、泥棒をしたせいで、こんなふうになってしまって、すみませんでした」

薄いブルーのワンピースに浮き出した、細い肩が震えていた。前髪で隠れて見えない目から、涙が一つこぼれ落ち、膝《ひざ》の上で握り合わされた指を濡《ぬ》らした。浅い呼吸を繰り返しながら、シュウメイはそれから何度も蓮介に謝った。

「今後のことは、また考えよう」

考えたところで何か別の結論が出るとは思えない。しかし、声を抑えて泣くシュウメイを前に、蓮介はそんな言葉をかけずにはいられなかった。

シュウメイはそっと首を横に振った。

「いいです。私は、自分でわかっています」

ゆっくりと上げられたシュウメイの顔は、少しだけ微笑んでいた。しかしその表情は、微笑む前よりもいっそう哀しげだった。

「私にはもう、何もありません」

蓮介が言葉を返そうとすると、それを言わせまいとするように、彼女はまた小さくかぶりを振った。

「何もありません」

「ゆっくり考えよう。しばらくはレゴリスのほうで生活を保証するから」

ごく短い間を置いて、シュウメイは静かに顎《あご》を引いた。そうやって彼女が素直に頷いてくれたことに、蓮介は安堵《あんど》すると同時に、何か大事なものを手の届かない場所に落としてしまったような虚《むな》しさをおぼえた。上海《シャンハイ》で再就職の話を蹴《け》り、モデルの誘いもつっぱねつづけたプライドの高いシュウメイが、こんなふうに簡単に生活の援助を受け容《い》れてくれるとは思ってもみなかったのだ。

「食事、ちゃんととってる?」

以前よりも浮き出したシュウメイの鎖骨を見て、蓮介は訊いた。

「あまり、食べていません」

「ルームサービスでもとろう。何か食べたほうがいい」

窓際《まどぎわ》のカウチを離れ、ベッド脇《わき》のナイトテーブルの上からルームサービスのメニュー表を取り上げた。ナイトテーブルにはカラフルな千代紙が貼《は》られた写真立てが置かれ、中にシュウメイの父親の古い写真が入れられている。葬儀のときに見た遺影と同じものだ。写真立ての脇には淡い青色をした和紙の扇子があった。どこかで買ってきたのだろうか。

「食べたくありません、何も」

「トースト、パスタ、カレーライス、おにぎり、何でもあるよ」

わざと笑って振り返ったが、シュウメイはこちらを向いていなかった。膝の上で握り合わせた自分の指を、じっと眺めている。

「それとも、何か食べに出る？　巨大明太子《めんたいこ》おにぎりとか」

思いつきの言葉だった。べつに本当にシュウメイを連れて谷中へ行こうと思ったわけではない。少しでも気分を変えてあげられればと、ただ響きの珍しい単語を口にしてみただけだった。

すっと顔を上げて、シュウメイが蓮介を見た。

知らない相手を見るような目だった。

「……どうかした？」

しばらく黙って蓮介の顔を見つめていたシュウメイは、やがて唐突にその目を伏せた。

「変な名前の食べ物だと、思っただけです」

―弥生―

飯田橋駅で電車を降り、弥生はホテルへと向かっていた。

高畠商会での仕事を終えて帰宅してからも、どうしてもシュウメイのことが心配で落ち着かず、とうとうアパートを出て電車に乗り込んでしまったのだ。――が。

「……部屋番号」

エントランスを抜け、エレベーターホールへ向かっているとき、シュウメイの泊まっている部屋の番号を知らないことにようやく気がついた。フロントで訊《き》けば教えてくれるだろうか。いや、無理だ。宿泊者の部屋番号など教えてくれないだろう。

仕方なく、ハンドバッグから携帯を取り出してシュウメイにメールを送った。

《どうしても心配で、ホテルまできてしまいました。もし嫌じゃなければ、部屋の番号をおしえてくれませんか？》

ラウンジのソファーに座って返信を待った。

目の前を様々な人たちが通り過ぎていく。ビジネス鞄《かばん》を提げたスーツ姿の男性、白人の家族連れ、酔って声の大きくなった中年女性のグループ。――そのグループの向こう側に、知っている顔が一瞬見えた。それが誰かということを意識する前に、弥生は反射的に立ち上がって首を伸ばしていた。自分の足先を睨《にら》みつけ、エントランスに向かって真《ま》っ直《す》ぐに歩いていくのは蓮介だった。シュウメイと会ってきたのだろう。ソファーを離れて追いかけようとすると、エスカレーターから降りてきたビジネスマンの一団が目の前にどやどやとなだれこんできた。その一団をぐるりと回り込んでエントランスのほうを見たときにはもう、蓮介の姿は消えていた。ロビーを抜けて自動ドアを出てみると、ウィンカーを出しながら発車したタクシーの後部座席に横顔が見えた。声をかける間もなく、タクシーはホテル前の道路へと滑り出ていった。

ふたたび弥生はラウンジのソファーに戻った。

十五分ほど待ったが、シュウメイからの連絡はなかった。やはり、いきなり来るのは迷惑だっただろうか。このまま帰ると伝えようか。迷いながら携帯をひらくと、ディスプレイに《メール受信中》の文字が表示されていた。メールはシュウメイからで、部屋番号らしい数字が、ただ四つ並んでいるだけだった。

ドアの隙間《すきま》からシュウメイが顔を覗かせたとき、彼女の髪が濡れていることに弥生は気がついた。

「あの、すみません、あたし急に来ちゃって――」

「私も、こんな恰好《かっこう》でごめんなさい。でも、女同士だから、大丈夫ですよね」

シュウメイは白いバスローブ一枚の姿だった。

「いま、シャワーを浴びていました。入ってください」

部屋に入った瞬間、床の服が目に飛び込んだ。薄いブルーの――あれはワンピースだろうか。ベッドの脇に無造作に落ちている。シュウメイもいまそれに気がついたようで、さり気ない仕草で拾い上げ、くるくると丸めてベッドの上に放った。そのベッドは、たったいままで誰かが寝ていたようにシーツが乱れていた。

「あ……これ、使ってくれたんですね」

ベッドサイドのナイトテーブルに、弥生がプレゼントした写真立てと扇子が置かれていた。写真立ての中で気むずかしげに微笑んでいる男性は、亡《な》くなったシュウメイの父親だろうか。

シュウメイは黙って頷き、ポットのお湯でインスタントコーヒーを淹《い》れてくれた。

「私、ぜんぶダメになりました」

窓際のカウチに向き合うと、シュウメイは驚くべきことを打ち明けた。レゴリスの広告モデルとして働くことが、もうできなくなったのだという。

「え、どうしてですか？　だってシュウメイさん、こんなに有名になって、新しいCMだって――」

「私が、前に、悪いことをしたのを、知られたんです」

抑揚のない、まるで書かれたものでも読むような喋《しゃべ》り方《かた》だった。

「いまは少しの人しか知りませんが、もしみんなが知ったら、レゴリスに迷惑がかかります。だから、その前に」

悪いことというのは、いったい何なのだろう。訊《たず》ねていいものかどうか判断がつかずに黙っていると、シュウメイが先に口をひらいた。

「それと、もう一つ、あります」

テーブルのコーヒーカップに右手を添え、そこに視線を向けたまま言う。

「葉月さんと、恋人だと、知られました」

部屋の景色が、ふっと消えたように思えた。胸が冷たくなり、弥生はテーブルの下で両手を握り合わせた。

「……そうだったんですか」

やっとのことで、それだけ口にした。シュウメイは、こくりと頷いた。

「さっきも、ここに来ていました」

コーヒーカップに右手の指先を添えたまま、シーツの乱れたベッドのほうに目をやる。

「そのベッドに――」

「そうですか」

相手の言葉を遮るようにして、弥生は声を返した。無意識に視線が下がり、それからは一度もシュウメイの目をまともに見ることができなかった。黙っていてはいけない。言葉をかけなければいけない。自分はシュウメイを元気づけるためにここへ来たのだ。

顔を上げ、相手と目を合わせないよう、額のあたりを見つめながら弥生は笑いかけた。

「でも、それなら安心じゃないですか。葉月さんが守ってくれますよ。あの人はお金も持ってるし、いろんな力もあるし」

弥生はそのとき、シュウメイに否定されることを期待していたのかもしれない。少しでも否定してくれれば、自分が部屋を訪ねた意味がなくなることはなかったから。

しかしシュウメイは、いとも簡単に頷《うなず》いた。

「そうですね。守ってくれます」

「心配することなかったですね。あたし馬鹿《ばか》みたいにシュウメイさんのこと心配しちゃって……葉月さんみたいにお金も力もないのに」

言葉をつづけるごとに、自分の中がだんだんと空っぽになっていくような気がした。それでも弥生は無理に頬を持ち上げ、シュウメイに笑いかけながら明るい声を出した。

「急に来て、ほんとにすみませんでした。コーヒーまで淹れてもらっちゃって」

「いいです。私も、会いたかったので」

ずっと聞きたかったはずのその一言が、弥生の耳に冷水のように沁《し》みた。胸が痛かった。根拠のはっきりしない恥ずかしさと情けなさが、ひとかたまりになって咽喉《のど》に詰まり、息をするのがひどく苦しかった。

「あんまりいると、迷惑でしょうから、もう帰ります。困ったことがあったら、いつでも連絡してくださいね」

「はい、連絡します」

部屋を出るとき、シュウメイはドア口まで送ってくれた。

誰もいない廊下を歩き、エレベーターに乗り込み、ロビーを突っ切ってエントランスを抜けたその瞬間、鼻の奥がつんと痛くなった。向かいのビルに掲げられた看板が目の中で滲《にじ》み、弥生は両手を強く握り締めながら駅まで歩いた。

＊＊＊

弥生にもらった写真立てと扇子を見つめながら、シュウメイは両目に涙を浮かべていた。

どうして自分はあんな嘘《うそ》をついてしまったのだろう。仲良くしてくれた弥生に、自分はひどいことをした。心配でたまらずホテルの部屋まで来てくれたのに、むごい仕打ちをしてしまった。

——あたし、この頃よく、考えちゃう人がいるんですよ。

谷中の店で聞いたあの話が、蓮介のことだとは思ってもみなかった。

——すごく強い人です。でも、もしかしたら、あんまり強くないかもしれません。

——この店にも、前は来てたんですよ。いつも巨大明太子おにぎり食べてました。

弥生にあんな嘘をついたのは、普通の幸せを持っている彼女がうらやましかったからなのかもしれない。蓮介と近づきつつある弥生と、レゴリスから放り出された自分を比べ、怨《うら》めしくなったのかもしれない。

シュウメイの嘘を、弥生は疑いもなく信じた。

自分と蓮介が、恋人などであるわけがないのに。

蓮介が部屋を出ていったあと、シュウメイはシャワーを浴びた。濡《ぬ》れ髪《がみ》のままベッドに身を投げ出して、そのまま眠ってしまおうと思った。眠れば、すべて薄らいでくれる。後悔も、不運も、悔しさも、哀《かな》しさも。しかしそのとき、ベッドサイドに置いた携帯電話のランプが点滅していることに気がついた。ディスプレイを見てみると、弥生からのメールだった。

返信で部屋番号を伝え、ベッドに座って弥生を待った。やがてノックが聞こえ、ドアを開けようとしたとき、シュウメイはシャワールームの前に脱ぎ捨ててあった服を拾って床に投げ出した。そして、あんな嘘をついた。ほとんど無意識のうちにそうしていた。

鼻の脇《わき》を涙が伝った。

いつもこうだ。気がつけばもとの場所に戻っている。明るいほうへ、明るいほうへ、勇気を出して新しい階段を上っても、必ずどこかで足の下から踏み板が消え、つぎの瞬間にはもう真っ暗な、もとの場所にいる。そうして何度も上がったり下がったりしているうちに、あれもこれも、みんな遠くへいってしまう。

痩《や》せた両手で顔を覆《おお》い、シュウメイは声を殺して泣いた。

＊＊＊

同じ頃、亮も渋谷のハチ公前で涙を浮かべていた。

「シュウメイ様」はいったいどうしたのだろう。待ち合わせ場所を決めたメールでは、あんなに楽しみにしている様子だったのに。

溜息《ためいき》をつくと、隣に立っていたフリーターっぽい男も同時に溜息をついた。

＊＊＊

翔太はハチ公前で首をひねっていた。

「リョウちゃん」はいったいどうしたのだろう。なかなか現れない。待ち合わせ場所を決めたメールでは、あんなに楽しみにしている様子だったのに。

待ちくたびれて溜息をつくと、隣に立っていたスーツ姿の若い男も溜息をついた。

日本は溜息ばかりだ。

―弥生―


金曜日の夜、まだ九時過ぎだというのに弥生は布団《ふとん》の中にいた。

ここのところ、ずっとそうだ。高畠商会から帰ってきて二人分の食事をつくると、一人で黙々と食べ終え、洗濯ロープに吊《つ》り下げた布で部屋を仕切る。そして天井の電灯を消して布団に入るのだ。ちょうどその頃になって、残業を終えた亮が帰宅してくる。体調が悪いと言ってあるので、亮は部屋が暗いことに対して舌打ちしたり何かぶつぶつ呟《つぶや》いたりしながらも、天井の明かりはつけず、布の向こうでスタンドライトを灯《とも》して過ごしてくれていた。

布団に入っても、眠るわけではない。枕《まくら》に顎《あご》を載せ、疲れたアザラシのように腹ばいになり、いつまでも薄目を開けている。シュウメイのことを考える。蓮介のことを考える。そして、二人の関係を知らなかった自分のことを考える。シュウメイとおんちゃんでビールを飲んだ夜、弥生は蓮介の話をした。このごろよく考えてしまう人がいるのだと。そのときは敢《あ》えて蓮介の名前を出さなかったが、そうしておいて本当によかったと、いまになって思う。シュウメイを驚かせずにすんだ。馬鹿にされずにすんだ。

ごそごそと手を動かして携帯電話をひらいた。暗がりで、ディスプレイは目に痛いほど眩《まぶ》しかった。なるべく顔から遠ざけるようにして、自分が送ったメールをもう一度見てみる。今日の昼、シュウメイに送ったものだ。

《明日は七夕祭りです。行きますか?》

いまだに返信はなかった。なくて、ほっとしていた。あれほど楽しみにしていたシュウメイとの祭り見物だったが、いまではもう行きたくなんてない。きっと上手《うま》く笑えずに辛《つら》いだろうし、そのことでシュウメイにも気を遣わせてしまうだろう。

思えば、自分は同じ失敗をしてしまったのだ。上海で蓮介に会ったときと同じ失敗を、しかも同じ相手に対して。べつに蓮介のことを、まだ本当に好きになっていたわけではない。きっとそうなのだろう。しかし、夜の児童公園で彼の弱さを垣間見《かいまみ》たり、二人で線香花火を燃やしたりしているうちに、ある種の期待をしてしまったのだ。あんなに完璧に綺麗で、可愛らしい恋人がいるとも知らずに。

——自分の身の丈に合ったもの以上を期待すりゃ、そりゃそのとおりにはならねえよ。

鉄二のアドバイスを、もっと真面目《まじめ》に聞いておけばよかった。

——けどそれは、裏切られたのとは違う。単に間違った期待をしちまったんだ。

いまごろシュウメイは何をしているのだろう。あのホテルの部屋にいるのだろうか。蓮介といっしょなのだろうか。

携帯電話を枕もとに転がし、ふたたびアザラシの体勢になったとき、着信音が鳴り響いた。メールではなく電話だった。シュウメイからだろうか。にわかに胸がとくとくと鳴り、弥生は小学生が返却されたテストを見るような気持ちで、そっと携帯をひらいてみた。ディスプレイには別の名前が表示されていた。

「……もしもし」

『こんばんは。いま大丈夫？』

「はい、大丈夫です」

風見だった。

『弥生ちゃん、明日は仕事休み？』

「休みです、土曜日なので」

『どっか行かない？』

いきなり言われた。

「え、どっかって――」

『どっか。どこでもいい。何か用事ある？』

少し考えてから答えた。

「明日は友達と、お祭りに行くんです」

『あ、友達と。いいなあ祭り。でも、それならしょうがないね、またこんど遊ぼうよ』

急に、寂しさがこみ上げた。子供の頃、一松の農園でぽつんと一人きりになったときのことが思い出された。亮といっしょにメロンの収穫を手伝っている最中、一松がそろそろお茶にしようと声をかけたらしいのだが、弥生はメロンをコンテナに詰めていくのに夢中で聞こえなかった。ふと気がつくと、広いハウスには自分しかいなくなっていた。見慣れたハウスが唐突に知らない場所に見え、寂しくて、弥生は小さな声で祖父を呼んだ。返事はなかった。こんどは大声で呼んだ。それでも返事はなかった。顎《あご》に力を入れ、弥生はハウスの出入り口まで走った。ハウスの外では逆さにしたコンテナをテーブルにして、祖父母と亮がお茶を飲み、笑いながら何か喋《しゃべ》っていた。三人がちらりと振り向き、しかし何でもないようにそのまま会話をつづけたのを見たとき、じわりと目に涙がにじんだ。それを見られるのが嫌で、弥生は何か珍しいものでも見つけたような顔をして、ハウスとハウスの隙間《すきま》をしばらく歩いていた。

「でも、その友達から連絡がないんです」

気がつけば、そんなことを言っていた。

『え、ふられたの？』

「いいえ、たぶん忙しいんだと思います」

『なら、こうしようよ』

もし連絡が来たら友達と行けばいい。連絡が来なかったら自分とその祭りに行こう。風見はそんな提案をしてきた。

「じゃあ……はい、それで」

明日の朝もう一度連絡するからと言って、風見は電話を切った。

「いいよな、姉ちゃんは」

仕切りの布をどけてトイレに行こうとしたら、暗がりから不意に低い声がした。そのときになってようやく弥生は、亮が帰っていたことを思い出した。

「自分はデートの約束なんてして……俺には前の彼氏のアドレス教えて騙《だま》したくせに」

スタンドライトだけをつけた暗い部屋の隅で、亮はロナウドの水槽に身体《からだ》を向けたままぼそぼそと呟いている。

「べつに騙してないでしょ。なに怒ってんのよ、勝手に人の携帯覗《のぞ》いといて」

「怒ってなんてないさ」

ゆっくりと振り向いたその顔は、スタンドライトの明かりに横から照らされて異様だった。

「ただ、うらやましいだけだよ。デートの相手がいて」

「デートじゃないわよ――ていうか人の電話聞かないでよ」

「お前の知り合いに、いいメスいないか？」

怨めしそうな声で言いながら、亮はまたロナウドの水槽に向き直った。


「うっわ、派手だねけっこう」

「ぜんぜん違う場所に見えますよね」

目の前に広がった「かっぱ橋商店街」は、カラフルな吹き流しで飾られ、大人と子供の賑《にぎ》やかな声に満ちていた。空気は人いきれでムンムンしている。その中にソースの匂《にお》いがする。醤油《しょうゆ》の匂いもする。まだ商店街の入り口に立っただけなのに。弥生は早くも、ああ祭りに来たという気分になっていた。

「まずは何からいく？」

「そこにフランクフルト売ってますよ」

「その手前にもっといいものがあるぞ」

弥生の腕を引っ張り、風見は酒屋が出している生ビールの露店へと向かった。

「おじさん、二杯ね」

「はい千円！」

財布からではなく、風見はジーンズのポケットから五百円玉を二枚出して店主に渡した。弥生が自分の分を払おうと財布を出すと、にやりと笑って振り返る。

「心配いらない、軍資金はたっぷりある」

風見はポケットの中から一握りもある五百円玉を取り出してみせた。

「来る前に両替してきた」

「はいどうも！」

紙コップになみなみと注がれた生ビールを、それぞれ受け取った。立ったままちょこんと乾杯し、一口ごくりとやると、冷たいビールが熱《ほて》った身体の中を流れていくのが見えるようだった。んまい、と風見が呻《うめ》く。両目が大げさに見ひらかれ、横一文字に結んだ口の上に白い泡が盛り上がっている。

けっきょく、シュウメイからの連絡はなかった。朝食を食べる気にもならず、床に胡座《あぐら》をかいてぼんやり「めざましどようび」を見ていたら、風見から電話がきた。友ったた。

達は？　まだ連絡きません。じゃ行こう。ということで、浅草駅で待ち合わせたのだった。

「で、フランクフルトだ。おばちゃん、二本ね。一本はからしたっぷり」

今日は祭りを楽しもう。弥生はそう決めていた。なにも努力して無理に楽しむというのではない。ただこちらが肩の力を抜いてさえいれば、きっと風見が上手に楽しませてくれる。前回食事をしたときだってそうだった。

「おお、なんか来たぞ」

フランクフルトを囓《かじ》りながら人混みの中を歩いていると、着物姿の女性の集団が前方から接近してくるのが見えた。三味線の音に合わせ、しずしずと手足を動かして踊っている。

「八つ橋みたいなの被《かぶ》ってるな」

女性たちが頭に載せている編《あ》み笠《がさ》のことだった。

「広告つくってる人って、変な見方するんですね」

「あ、広告といえばさ——」

風見は何か言いかけたが、にこりと笑って誤魔化した。

「まあいいや、今日は」

そのまま弥生を促して道の脇《わき》へ寄り、目の前を行く着物集団の踊りを眺める。

きっと、シュウメイのことを言おうとしたのだろう。そういえば高畠商会と協力し合って作成していたあのＣＭは、もう完成したのだろうか。細かい事情はわからないが、シュウメイの口ぶりからすると、あれも実際にテレビで放映されることはなさそうだ。そう考えると、自分とシュウメイがいよいよ遠く離れてしまったように感じられ、また寂しさがこみ上げた。しかし、そうかといってシュウメイと近づきたいというわけでもないのだ。今朝まで彼女からの連絡がなかったことに、ほっとしていたくらいなのだから。

生ビールの紙コップを持った自分の左手を見た。シュウメイにもらった琉璃珠《リウリジュー》の腕輪が、手首で揺れている。今朝これを着けたとき、上手くいえないが、とても嫌な気がした。小学校時代、弥生のことを嫌っていつも意地悪をしていたクラスメイトの女の子と、体育の時間にちょっとしたはずみで肌を触れ合わせたときに感じた気持ちと似ていた。しかし、シュウメイに対してそんな気持ちを抱いてしまう自分のことは、もっと嫌で、弥生にはこの腕輪をアパートの部屋に置いてくることがどうしてもできなかった。

「うはは、河童《かっぱ》だ」

肩で肩を押され、弥生は顔を上げた。緑色の全身タイツを着て、河童の扮装《ふんそう》をした幼稚園児たちが路地の先からシャキシャキと行進してくる。

「河童といえばキュウリだな。食べようか」

「キュウリをですか？」

「あそこにあるあれ、キュウリでしょ？」

道の反対側の、少し行ったところに、割《わ》り箸《ばし》に刺したキュウリの浅漬けが売られていた。

「これ、食っちゃおう」

浅漬けの露店までのんびりと歩きながら、二人ともフランクフルトを食べ終えた。

「おじさん、二本」

板氷に載せられていた浅漬けはよく冷えていて、嚙《か》むと、ぽりぽりと口の中で小気味いい音をさせながら砕けた。

ふたたび道の端へ移動し、ビルの壁に並んで寄りかかってキュウリを囓っていたら、

「最近さ、蓮さん、ちょっとおかしいんだよな」

風見が急に言った。

「どう、おかしいんですか？」

「軽口を叩《たた》かない。会議で厳しいことを言わない。元気がない」

風見は胸の前で指を三本折った。

公園でおにぎりを食べたときのことが思い出された。何かに、蓮介はひどく参っている様子だった。お金や、レゴリスという社名の話をしながら、ずっと哀《かな》しそうな目をしていた。

「いろいろあるんでしょうね、きっと」

しかし弥生には、蓮介の悩みが何なのかなどわからない。教えてくれなかったし、聞いたところできっと力になんてなれない。

「そりゃ社長だから、いろいろあるよ。いままでだって、悩んだり苦しんだりしてる時期はあったし。ただ、どうもいつもと様子が違うんだよな。弥生ちゃん、何か知らない？」

「あたしが……知ってるわけないじゃないですか」

どうしてそんなことを訊《き》くのだろう。曖昧《あいまい》に笑いかけると、風見も中途半端《はんぱ》な笑みを返した。

「じつは残念なお知らせがあるんだ。さっき言おうとしたこと」

咽喉《のど》をそらしてビールを飲み、大きく息をついてから風見は言う。

「あとで高畠社長には正式に報告することになってるけど、シュウメイの新しい広告が使えなくなった。線香花火のやつ」

やはり、そうだったのか。

「……驚かないの？」

意外そうな顔を向けられ、弥生は慌《あわ》てて言葉を返そうとしたが、相手が先につづけた。

「もしかして、蓮さんから聞いてたとか？」

「あ、いえ聞いてません」

シュウメイから聞いたとも言えず、弥生はそのまま黙って視線を下げた。風見がまだ自分の顔を見ているのがわかった。

「理由を教えてくれないんだよ、蓮さん」

ぽり、とキュウリを囓り、風見はふたたび壁に背中をあずける。河童の行進が、目の前を賑やかに過ぎていく。飽きてきたのか、幼稚園児たちの手足の動きはばらばらになっていた。

「そうなんですか？」

「ただ、公開を中止しろって指示出してきただけで、いくら訊いても理由を言わない」

眉間《みけん》に皺《しわ》を寄せ、風見は空気を睨《にら》みつけた。初めて見る表情だった。

「はっきりいって、頭に来てんだよね。そりゃ社長と部下の関係だけど、俺たち付き合い長いんだし、そもそも今回の企画は俺の発案だったんだから、理由も言わずに中止じゃ腹も立つよ」

何とも答えることができず、沈黙を誤魔化そうとビールを一口飲んだ。紙コップの向こうの空に、いつの間にか低い雲が広がっていた。

変な天気だな、と思ったら、遠くで雷が鳴った。

―蓮介―

どこかで雷鳴が響き、蓮介は自宅マンションのソファーで顔を上げた。

長いあいだ両目に掌《てのひら》を押しつけていたせいで、視界がぼやけている。いや、視線が定まらないのは昨夜から一睡もできていないせいだろうか。

雅畑が社長室に入ってきたのは昨日の夜八時を回ったときのことだ。頰を強張《こわば》らせ、眉間を緊張させ――あんな雅畑を見るのはいつ以来だったろう。蓮介は椅子ごと向き直って相手の言葉を待った。

営業部の社員たちが六名、同時に辞意を伝えてきたらしい。営業本部長の寺門から、たったいま報告があったのだという。

——例の、嶺岡くんの件がくすぶっていたようです。辞表を提出してきたのは、彼を慕っていた部下たちでした。

六名それぞれの名前を、雉畑は並べ上げた。全員が係長以上で、紛れもない営業部の主要戦力たちだった。

——このままだと、会社は大きな痛手を負うことになりかねません。

単に六名の退職のことだけを言っている口調ではなかった。

ノックのあとで、青褪《あおざ》めた顔の寺門が入ってきた。彼は踵《かかと》を揃《そろ》えて雉畑の隣に立ち、蓮介に深く頭を下げて謝罪した。自分の力のなさを詫《わ》び、蓮介の指示を仰いだ。辞意を伝えてきた六名は、制止も聞かずに会社を出てしまい、電話もつながらないのだという。

——ただ、退職に関してはもちろん社内規定があります。今日限り来ないなどということはできません。月曜日にはきちんと出社してくるはずです。決して無責任な部下たちではありませんので。

月曜日に自分が直接話し合うと、蓮介は答えた。

ローテーブルを睨みつけているうちに、視界が徐々にはっきりしてきた。蓮介は両手で顔を撫《な》でさすり、大きく息をついた。

眠らなかったせいで、昨夜は会社が潰《つぶ》れる夢を見なかった。かわりに一晩中、何度も繰り返しそれを想像した。もちろん営業員六名が退職したところで、すぐさまレゴリスの経営が傾くわけではない。しかし今回の出来事が、ほかの社員たちの上に経営姿勢への疑問符をばらまくことは確実だった。そしてその結果が、価格競争ではなく営業力重視で闘ってきたレゴリスの屋台骨にまで響くことは容易に予想できた。

また、雷鳴が聞こえた。

窓の外に目を移すと、つい先ほどまで晴れていた空に、灰色の雲が広がっていた。

—シュウメイ—

雷門をくぐり、シュウメイは仲見世を抜けた。きびだんご、揚げまんじゅう、煎餅《せんべい》、焼き鳥。弥生との楽しい散歩を思い出しながら、ゆっくりと店を覗《のぞ》いていった。ハンドバッグの中には、あの日弥生が買ってくれた「しゅうちゃん」のバッジが入っている。弥生といっしょに歩くことができないから、せめてこれを持って、シュウメイはホテルを出てきたのだ。

今日は七夕まつりの日なので、人々はみんなそちらへ行き、浅草寺あたりは閑散としているだろうと思っていたのだが、そうではなかった。仲見世も浅草寺の境内も、弥生と歩いたときのように、人でいっぱいだ。弥生が誘ってくれた祭りというのは、きっと可愛らしい、小さなものだったのだろう。そう考えるとシュウメイは、弥生といっしょにその祭りを見物できないことが、いっそう哀しかった。

もう、弥生には会えない。自分は彼女に嘘《うそ》をつき、傷つけてしまった。シュウメイが会いたいと言えば、優しい弥生のことだから、きっと会ってくれるだろう。しかし彼女はシュウメイの前で、無理に笑顔をつくることになるに違いない。かといって、この前のことは嘘だったと打ち明ける勇気も、シュウメイにはなかった。

どこかで雷が鳴った。

空を見ると、押し下げられたように雲が低くなっている。

浅草寺でおみくじを引こうとして、やめた。どんな運勢が書かれていても、虚《むな》しい気持ちになるだけだ。白い紙に赤い字で「大吉」と書いてあったあの日、ハンヤンはアパートで命を絶っていた。それからいろいろなことが立てつづけに起こり、こんなことになった。あれも失《な》くし、これも失くし、こうして一人きりで人混みの中を歩いている。

花やしきの観覧車とジェットコースターを外から眺めた。本屋。隅田川。この川縁《かわべり》の公園は、春になると桜が綺麗《きれい》に咲くのだと弥生は言っていた。

川を離れ、交番へ立ち寄った。七夕まつりが行われている場所を訊くと、若い警官は親切に教えてくれた。

ちょっと距離があったが、わかりやすい道だったので、迷わず着くことができた。しかし、賑《にぎ》やかな商店街の入り口に立っただけで、シュウメイはすぐにその場を離れた。弥生が来ているかもしれない。顔を合わせてしまうわけにはいかない。弥生が誘ってくれた祭りを、少しでも見ることができただけで、満足することにした。何か出し物でもやったのだろうか、河童の恰好《かっこう》をした子供たちが、道端でふざけ合っている。

商店街をあとにし、あの日と同じ停留所でバスに乗って、上野公園のそばで降りた。湿った空気の上野公園を歩き、揚げたこ焼きを売っている売店を遠くから眺め、不忍《しのばずの》池《いけ》を一周すると、空が暗くなってきた。

このあと、谷中の飲み屋さんに行ったのだ。そして弥生といろいろな話をした。

あの店までの行き方を思い出せるだろうか——そう考えながらふと顔を上げたとき、

頬に最初の雨粒がぶつかった。周囲のコンクリートに黒い点が散らばり、近くにいた人たちが何か言い合いながら足を速め、ザッと一気に雨音が高まった。

お父さんのところへ行きたい――。

雨の冷たさを首すじに感じながら、シュウメイは唐突にそんなことを思った。

―弥生―

濡《ぬ》れた身体《からだ》を拭《ふ》き、服を着替えた。脱衣所を出ると、弥生は頭にタオルを被《かぶ》ったまま畳にぺたりと座り込んだ。

「おじいちゃんから葉書来てたぞ」

テレビを見ながら亮が言う。

「テーブルの上に置いといた。メロンの収穫、そろそろだってさ」

「うん」

ローテーブルに置かれた葉書を、弥生は手に取る気にもなれなかった。

「早かったじゃん、けっこう」

「雨降ってきたから」

「ふはっ、子供かよ」

弥生が何も言わずにいると、亮は不思議そうに振り返った。

「何、どしたの」

「べつに」

「暗いじゃん」

「べつに」

たしかに子供じみていたかもしれない。

いや、自分は子供じみていた。

風見はもう、きっと自分を誘おうとはしないだろう。

日暮れまでどうにか天気はもったが、いきなり夕立になった。あれからやきそばや唐揚げやかき氷を食べ、ビールを二杯飲んでぱんぱんにふくれたお腹《なか》を抱えながら、弥生は風見といっしょに屋根を探して走った。カラフルな吹き流しが並ぶ商店街で、見物客たちはみんな首をすくめて右往左往し、露店の店員たちは渋面をつくって空を見上げていた。

——弥生ちゃん、こっち！

どこの屋根の下も人でいっぱいで、風見と二人でようやく逃げ込んだのは、古くて細長い雑居ビルのエントランスだった。入り口には汚れたガラスドアがあり、それが閉まっていたせいで、ほかの人たちは見逃していたらしい。中には誰もいなかった。風見が弥生を引っ張り込み、背後でドアが閉まると同時に、雨音もざわめきもぴたりと消えた。狭くてむしむしした空間には、テナント名のプレートが貼《は》られた郵便受けと、奥に細い階段があるだけだった。

――やられたなあ……あ、俺ハンカチ持ってないや。

――あたし、あります。

弥生のハンカチで、二人して身体を拭いた。

「あれ、リモコンねえな」

亮が足でテレビのチャンネルを変えた。力士が映り、アニメが映り、天気予報が映った。

――降られちゃったけど、楽しかったね。

――たくさん食べましたしね。

汚れたドアガラスの外を、祭りの見物客が足早に歩き去っていく。空気は埃《ほこり》っぽい臭《にお》いがして、狭いせいで、二人が立てるちょっとした物音や、互いの息づかいまでよく聞こえた。

「土曜日のテレビって、何でこんなにつまんねえんだろ」

亮がまたチャンネルを変えた。刑事が映り、桃屋のＣＭが映り、美人の女子アナが映り、葉月蓮介が映った。弥生は思わず上体を起こした。

「あれ、シュウメイさんとこの社長じゃん」

斜めに置かれた肘掛《ひじか》け椅子に座り、アナウンサーとにこやかに話しているのは蓮介だった。それはいわゆる「時の人」を呼んで成功の秘訣《ひけつ》などを訊《き》き出すトーク番組で、弥生も何度か見たことがある。

――静かだね、ここ。

――なんか、かくれんぼでもしてるみたいですね。

弥生と風見は、しばらく二人でエントランスの壁にもたれていた。声が響くので、互いに囁《ささや》くような話し方になった。風見は弥生のすぐそばに立っていて、シャツから伸びた腕のあたたかさが弥生の腕に感じられるほどだった。嫌ではなかった。

サービス業の人間は社長から新人社員まで全員、どんなことがあっても、とにかく徹底的にお客様の立場に立ってものを考えなければいけない――大映しになった蓮介が、そんなことを話している。いつ録《と》ったものなのだろう、その目には弱さの欠片《かけら》も見られず、画面に映っているのは、上海で初めて会ったときのように、自信に満ちた蓮介だった。

「そればっかしじゃ、あんなに会社がでかくなるわけないじゃんな」

首筋をぽりぽり掻《か》きながら亮が呟《つぶや》く。

「きっと社員には、客に一円でも高く商品を売りつけてこいって怒鳴ってるよ。うちの社長だってそうだもん。でもまあ考えてみれば、そうやって中と外で顔を使い分けるのも大変だわな」

画面を眺めながら、弥生はぼんやりと頷《うなず》いた。こうして見ていると、やはり蓮介は自分とはまったく違う世界の人間だった。哀《かな》しくなるくらい、違う世界だった。

――寒くない？

――大丈夫です。

風見の腕のあたたかさが、さっきまでよりもはっきりと感じられていた。肌同士のあいだに、もうほんの僅《わず》かな空気しかないことが、見ないでもわかった。とくんと心臓が鳴った。何か言おうと口をひらいたとき、風見の腕がふっと離れた。そうかと思うと、濡れたシャツがぴたりと腰に張りつき、身体がぐい、と横へ動いた。驚いて顔を向けると、弥生の身体を引き寄せながら、風見は優しい顔で笑っていた。

「あたし……またどっか旅行でも行ってこようかな」

トーク番組を眺めながら、弥生はぽつりと呟いた。

「え、また？　何で？」

亮がぎょっとした顔を向ける。

「なんとなく」

本気で言ったわけではなかった。ただ、そんなことを言ってみたい気分だったのだ。

胸が触れ合う直前、弥生が風見の身体を押しのけたのは、抵抗ではなかった。単なる反射的な動きだった。どうしても嫌だというわけではなく、ただ、驚いてしまったのだ。

しかし相手は、きっとそうは感じなかっただろう。タクシーで弥生をアパートの近くまで送りながら、風見はずっとつくり笑いをしていた。弁解することもできず、けっきょく弥生は、送られていながら逃げ帰るような気分で、下を向いて黙っていた。

「旅行に行って、どうなるもんでもないんだけどね」

「何が」

「……何だろう」

いったい何をしたいのか。何が嫌で、何から遠ざかりたいのか。弥生自身にもよくわからなかった。両手でタオルを髪に押しつけながら目を閉じると、ロナウドがこつこつと水槽の内側に頭をぶつける音が聞こえた。

＊＊＊

その日の深夜、ゲームセンターの隅にちょっとした人だかりができていた。

人だかりの中心にいるのは、テトリスをプレイする蓮介だった。レベル999——ブロックはほとんど見えないほどのスピードで落下し、一段積み上がっては消え、二段三段積み上がってはまた消え、ときおり四段か五段積み上がり、ギャラリーたちが「あ」と同時に前のめりになったかと思えば、赤いバーが隙間《すきま》に落とし込まれて一気に消えた。

ゲームはいつまでもつづいた。ギャラリーたちも、増えたり減ったりしながら蓮介を囲みつづけた。しかしあるとき、蓮介が口の中で何か聞き取れないことを呟き、いきなり両手を画面に叩《たた》きつけた直後、ブロックは一気に最上段まで積み上がってゲームオーバーとなった。

蓮介が店を出ると、集まっていたギャラリーたちもばらばらと散っていった。

——蓮介——

壁も、天井も揺れていた。ローテーブルに並べた四枚の十円玉も揺れていた。ソファーの上で背を丸め、ウィスキーのグラスを握りながら、蓮介は大声を上げたいのを堪《こら》えていた。腹の底でくすぶっている叫び声が、胸を駆け上がり、口を割って出ようとするたび、それを消火するようにウィスキーをまた咽喉《のど》へ流し込んだ。うつむいて目を閉じると、熱くなった自分の息を頬に感じた。どうすればいいのかわからなかった。起業して以来、初めてわからなくなっていた。助けを求めるような気持ちでテーブルに並べた十円玉も、いくら睨《にら》みつけたところで何も教えてはくれなかった。

閉じた両目の裏側に、断続的な鈍い痛みが走った。心臓の鼓動にあわせ、ずくずくと痛んだ。それを追い払おうと、大きく息を吐き出したとき、呼び鈴の音が聞こえた——ような気がした。

立ち上がり、モニターのほうへ歩いたが、両足の感覚がなかった。壁のほうが、ぐらぐらと上下左右に揺れながら自分に近づいてくるように思えた。モニターにはシュウメイの顔が映っていて、蓮介はエントランスのロック解除ボタンを押し——しかし、あとになって思い出したら、それが本当にあったことなのかどうか、よくわからなかった。

丸二日近く、眠っていない。ソファーに戻る途中で足がもつれ、蓮介はそのままフローリングの上でたたらを踏んだ。どさりとソファーに身体を投げ出し、うつぶせの状態でしばらく自分の呼吸を聞いていると、意識がふっと遠ざかった。

……。

………。

シュウメイの声が聞こえていた。しかし蓮介は身体《からだ》を動かすことができなかった。自分の人生について、彼女は語っているようだった。幼い頃の思い出。母親との暮らし。小学校時代、父親に会いに日本へ来たこと。父親はシュウメイをいつまでも膝《ひざ》に抱いて放さなかった。彼女は大学時代にも父親と会った。父親は、ずっと嘘《うそ》をついていた。シュウメイは金が欲しかった。絶望の底から逃げ出したかった。金があれば、それができると思った。金さえあれば――。

「でも、違ったんですね」

疲れ切った声だったが、ほんの少しだけ、笑いが滲《にじ》んでいた。それきりシュウメイの声は聞こえなくなり、やがて蓮介はシャツの背中に彼女の体重を感じた。そのあたたかさを意識しながら、ふたたび眠りに落ちた。

気がつけば、朝になっていた。部屋にはシュウメイの姿などなく、彼女が本当に来たのかどうかさえ、蓮介にはわからなかった。

シャワーを浴びて脳みそを叩き起こし、シュウメイの携帯に電話をかけてみた。ゆうべ家に来たかと訊いてみると、シュウメイは電話の向こうで小さく笑って、行ったかもしれませんと曖昧《あいまい》に答えた。


――シュウメイ――


行ったかもしれないと答えたのは、誤魔化しでも何でもなく、本心だった。

ホテルの部屋の窓辺に立ち、シュウメイは日曜日の静かなオフィス街を見下ろしていた。ゆうべの出来事は、本当にあったことだったのだろうか。ソファーに突っ伏したままの蓮介に、これまでの人生を独り言のように語り――やがて語り疲れ、あたたかい背中に頬をつけて眠ったのは。

昨日、雨の中を歩きつづけながらシュウメイは、冷たい滴《しずく》の中に自分自身が混じり込み、だんだんと溶け落ちていくような感覚をおぼえていた。それは母親と二人で生きてきた自分、天美家具で働きながら楽しい日々を過ごしていた自分、信じていたミンに裏切られた自分、ハンヤンを頼って日本へやってきた自分、そして、レゴリスの広告モデルとして、短くて眩《まぶ》しい時間を過ごした自分だった。それらがみんな地面に溶け落ちて、脱け殻のようになった心が、シュウメイにあんな夢を見させたのかもしれない。

先ほどの電話で蓮介は、ゆうべマンションに来たかと訊いた。そんなふうに質問されても、まだシュウメイには現実感がなかった。二人が別々の場所で、同じような夢を見たのだというほうが、まだ信じられる気がした。

それでも、あの背中のあたたかさだけは、夢も現実も関係なく、いまもたしかに頬に残っている。父親のようなあたたかさではない。恋人のようなあたたかさでもない。自分と同じ温度だから、あんなにあたたかく感じられた——そんな気がする。きっと蓮介もまた、自分と同じように、耐えているのだろう。

振り返り、シュウメイはベッドの脇《わき》にまとめられた自分の荷物を見た。

もう、ここへ戻ってくるつもりはなかった。

—蓮介—


数日経《た》った金曜日の夕方、蓮介は高畠商会へ足を向けていた。

弥生に会いたいという思いを蓮介が明確に意識したのは、たぶん初めてのことだった。理由は自分でもわからない。自宅のローテーブルに十円玉を並べてみたのと、同じような気持ちだったのかもしれない。

辞意を伝えてきた営業員たちとは、月曜日に寺門や雉畑を交えて話し合った。説得することは、けっきょくできなかった。辞表の受け取りを保留するという、しごく曖昧な結論をもって話し合いは終了した。

路地の端で立ち止まり、蓮介は閉店間際《まぎわ》の高畠商会を遠くから眺めた。

「どうも」

背後で声がした。

「隠れられなくて残念でしたね」

静也だった。遣いにでも行ってきたらしく、カメラ店の紙袋を脇に抱えている。

「待ち伏せですか？」

「そういうわけじゃないけど」

「じゃ、何してるんです？」

面倒で答えずにいると、静也は何故《なぜ》か得意げに唇の端を持ち上げた。

「待ってても、来ませんよ。椋森さん、今日は早退しましたから」

「早退……？」

「はい。明日からの三連休で北海道のおじいさんおばあさんのところへ行くらしいんです。でもまだぜんぜん支度ができてないなんて言うもんで、先に帰らせたんです。あとは僕がぜんぶやっとくからって。お礼に椋森さん、メロンを持って帰ってくるって言ってました。たぶんあれ、店の人みんなにじゃなくて、僕にくれるんだと思いますよ。そんな言い方でしたから」

勝ち誇ったように顎《あご》をそらす。

「……メロン」

「はいメロン」

蓮介は頷《うなず》き、そのまま顔を上げずに踵《きびす》を返した。夕焼けにほんのり照らされた地面を見つめながら、静也のそばを離れた。

専務室に入ると、雉畑のデスクの前に風見が立っていた。彼は蓮介を振り返って何か言いかけたが、雉畑が片手でそれを制した。

「……どうされました？」

「連休中の展示会の立ち会い、雉畑さんに任せてもいいかな」

　この三連休で、レゴリスは大規模な商品展示会を行うことになっていた。会場には飲食チェーンやホテルチェーンの役員たちも視察に来るので、社長である蓮介もそこに終日滞在し、取引交渉をサポートする予定だったのだ。

　雉畑は意外そうな顔をし、そのまま何も言わずに蓮介の目を見返していたが、やがてうっすらと笑みを浮かべて訊《き》いた。

「何か、重要な御用でも？」

「重要……だと思う」

「どのような？」

　答えかけて、ためらった。しかしけっきょく蓮介は正直に告げた。

「ちょっと、研修に」

　雉畑は半白の眉《まゆ》を上げ、初めて見る人のように蓮介の顔を眺めた。それから目尻《めじり》に皺《しわ》を刻んで頷いた。

「行ってらっしゃいませ」

＊＊＊

「……言わないでよかったんですか？」

蓮介が専務室を出ていくと、風見は小声で訊いた。雉畑は眉間《みけん》にゆるく皺を寄せて頷いた。

「我々で、なんとかしましょう。私の勝手な判断なので、あとで社長にはこっぴどく叱《しか》られるかもしれませんが」

今朝、シュウメイがホテルの部屋から姿を消していたことがわかったのだ。荷物もすべてなくなっており、風見が何度も携帯に連絡したが、いまだにつながらない。単にどこかへ出かけただけで、夜になれば戻ってくるかもしれないので、蓮介にはまだ報告せずにいたのだ。

「もう一回、かけてみます」

その場で風見はシュウメイの番号に発信したが、やはり電源が切られているか電波が届かないというメッセージが聞こえてくるだけだった。

第六章　日陰の老木／丘の一本木

──弥生──

「やーちゃん、コンテナもう五個……いや七個くらい持ってきてくれるかな」

「前と同じとこにある？」

「なんにも変わってないよ」

一松は顔中にやわらかい皺《しわ》を刻んで微笑《ほほえ》んだ。

ハウスを出ると、弥生はプレハブの倉庫を回り込んで裏手に向かった。久しぶりに着たつなぎは、動きやすくて楽なのだが、全身のどこにも締めつけられる部分がないせいで、何か忘れているような気分にさせられる。

倉庫の裏にはプラスチックのコンテナが土埃《つちぼこり》を被《かぶ》ってわんさか積まれていた。軍手をはめた両手でコンテナを持ち上げ、脇《わき》に置かれた台車の上に七つ載せて、弥生はうんうんいいながらハウスまで押していった。

「いやしかし、助かったなあ、やーちゃんが来てくれて。今年はミツバチがよく働いてくれたみたいで、実が多いんだ。昨日測ってみたら糖度も高いし、こういうのを豊作ってんだろうなあ」

「いきなり来ちゃって驚いたでしょ」

「やーちゃんは昔っから何でも急にやるからなあ、いまさら驚かないよ。亮が生まれて、お父さんとお母さんが自分のこと嫌いになったんだなんつって、リュックサックに保育園の制服つめて家出してきたこともあったしなあ」

「憶《おぼ》えてないよ」

本当は憶えていた。あのときはけっきょく一週間くらい、一松に軽トラで送り迎えしてもらいながら、祖父母の家からはるばる札幌の保育園まで通ったのだ。しかしある夜、こんなことをしているうちに父と母がもっと赤ん坊と仲良くなってしまうのではないかと心配になり、帰りたいと泣き出した。

「驚いたっていや、やーちゃんがあんまり綺麗《きれい》になったんで驚いたよ。さっき、ばあさんも言ってただろう」

「お世辞でしょ」

「いやあお世辞じゃないさ。ばあさんの若い頃そっくりだよ」

うふふふと笑い、一松は剪定鋏《せんていばさみ》でメロンの茎をぷちんと切った。丸々とはちきれそうにふくらんだ実を両手で抱えて重さを確かめ、そっとコンテナに入れる。これが選果場へ運ばれていき、糖度や大きさが測られた上で市場に出荷されていくのだ。

剪定鋏を手に取り、弥生はハウスの中を見渡した。地下鉄のプラットホームのようにハウスは長細く、五列に植えられたメロンの葉が、はるか向こうまでつづいている。葉の隙間《すきま》に見え隠れする実の数は、たしかにとても多かった。

「あたしが手伝ってもこれ、終わらないんじゃないの？」

「終わるさ。これまで終わらなかったことはないんだから」

理屈は通っていないが、一松ののんびりとした口調で言われると、なるほどそうかと思ってしまうから不思議なものだ。弥生は剪定鋏を握り直して収穫作業を再開した。熟した実の、ヘタから伸びた茎をT字に切り取って、コンテナに入れていく。

「おばあちゃん、ずいぶん遅いね」

「そういや遅いなあ。何か用事でも思い出したのかな」

祖母のテル子は、おやつの準備をするため家に戻っていた。戻ったといっても、歩いて二分ほどの場所だ。

「おお、来た来た。……なんだあれ、変な顔して」

ハウスの出入り口の向こうに、テル子が見えた。丸い頰に片手を押し当て、首をひねるようにしながらハウスへつづく小径《こみち》を歩いてくる。

「おばあちゃん、おやつ持ってないね」

「何やっとんだか」

ハウスの入り口に立つなりテル子は不審げな顔つきで言った。

「あんた……変な人が来たよ」

「変な人？　どこに」

「家に。なんだか知らないけど、仕事を手伝わせてほしいって。アルバイトとかそういうのじゃなくて、ただ手伝いがしたいんだって」

「ははは、そら変な人だ。んで、どした？」

「連れてきた」

テル子が背後を振り返りながら脇へのくと、小径の先が見えた。農園には似つかわしくないスーツ姿の男が歩いてくる。

「……え」

思わず声が洩《も》れた。

一松とテル子が同時に振り向いた。

「やーちゃんの知り合いなの？」

訊《たず》ねる祖母に、すぐには返事をすることができなかった。

「突然すみません、葉月蓮介といいます」

ハウスの出入り口に立った蓮介は、踵《かかと》を揃《そろ》えて一松に頭を下げた。一松はきょとんとしながら頭を下げ返し、思い出したように作業帽を取った。弥生をちらりと見てから、口をすぼめて蓮介のほうへ首を突き出す。

「ええと、あんたはやーちゃんのお知り合いで……え、仕事を手伝うんですか？」

「はい、やらせていただければと思いまして」

「いやそりゃ、手が足りないからねえ、手伝ってくれるんなら助かるんだけど……え、やーちゃんとは東京で？」

「はい」

「で、こっちには、お仕事か何かで？」

「いえ、ですから作業をお手伝いさせていただければと」

「ああ、なるほど……え？」

いったん頷《うなず》きかけてから、一松はまた首を突き出した。

「そのために？」

「はい」

「東京から？」

「はい」

一松とテル子が不思議そうに弥生を振り向いたが、もちろん弥生にも事態は飲み込めなかった。

一松が貸してやった着古しのつなぎは、驚くほど蓮介に似合わなかった。首から上と下で違う人みたいだと、テル子が口をあけて笑った。

「そんじゃ、手伝ってもらうからには遠慮なく仕事たのんじゃうよ」

けっきょく弥生とはほとんど会話もしないまま、蓮介は軍手と剪定鋏を手渡されてメロンの収穫を手伝いはじめた。見たこともないような真剣な目をして、一松に言われた通りの作業を丁寧にこなし、わからないことがあると礼儀正しく質問をした。

「どういうことなんですか？」

一松とテル子がコンテナをハウスの外に運んでいったとき、弥生は素早く蓮介のそばへ行って訊《き》いた。

「収穫作業を手伝わせてもらいに来た」

「それはさっき聞きましたけど、何で」

蓮介はちらりと弥生に目を向けたが、すぐにまた手元に視線を戻した。

「研修」

「研修？」

「これしか思いつかなかった。迷惑なら帰る」

「いや、手が足りないから迷惑じゃないでしょうけど……え、どうやって調べたんですか、ここ」

「タウンページで見て観光協会に問い合わせた。これ熟れてる？」

「あ、それはまだだと思います」

「なるほど、わかってきた」

「ホテルとか、とってあるんですか？」

「とってない」

「とってない？」

「ここらへんの農家って、でかいと思って」

蓮介は手を止めもせずに答えた。

──シュウメイ──


携帯電話に新しく録音されたメッセージを、シュウメイは再生した。

『野方です。ええと……とにかく連絡ください。待ってます』

昨日からこれでもう二十回以上、風見《かざみ》は電話をくれている。心配しているのだろうし、きっと怒ってもいるのだろう。

申し訳ないことをしていると、わかってはいた。世話になったレゴリスに多大な迷惑をかけた上、こうして突然消えてしまったのだから。

しかしシュウメイには連絡を返すことができなかった。

最後の時間を、どうしても一人で過ごしたかったのだ。

いったいどこから間違っていたのだろう。シュウメイは何度もそれを考えた。

上海《シャンハイ》でミンを探したことだろうか。日本へ来てしまったことだろうか。ハンヤンのアパートを訪ねたことだろうか。デパートで万引きをしたことだろうか。レゴリスのモデルとして働きはじめたことだろうか。その報酬で、ハンヤンの借金を清算してしまったことだろうか。

すべて間違っていたとしか、いまとなっては思えなかった。ことごとく自分は誤った選択をした。たった一つ、後悔しない行動があったとすれば、それは弥生と友達になったことだったのに——その弥生との関係さえも、こうして自分は後悔に変えてしまった。

物音ひとつしない場所で、シュウメイは自分の膝《ひざ》を抱き寄せて顔を押しつけた。手首で二つの腕輪が揺れ、琉璃珠《リウリジユー》同士がぶつかり合って小さく音を立てた。一つはシュウメイの「月牙《ユエヤ》の玉」、もう一つはハンヤンが遺《のこ》した「太陽の涙の玉」だった。

—弥生—

「ガガイモ、ガガイモ、ほれそこんとこ」

いまのはおそらく呪文《じゆもん》か何かのように聞こえたのではないだろうか。そう思って蓮介のほうを見てみると、彼は近くの木の幹に手を添えて、やはり困惑げな顔で一松の指さす先を見つめている。

「それだよその緑の、蔓《つる》がひょろっとした。若い葉っぱが食えるんだ」

「これ」

「いや、その右、そうそれ。天ぷらにすると美味《うま》い」

早朝の山の中だった。

テル子に山菜採りを頼まれた一松が家を出ようとすると、蓮介が自分も行きたいと言って服を着替えはじめた。弥生は昨日の収穫作業の疲れが残っていたので、家でだらだらしていようと思ったのだが、テル子に布団《ふとん》を上げられてしまい、やることもないのでいっしょに家を出てきたのだ。

けっきょく蓮介は、祖父母の家に泊まった。テル子のつくった田舎料理をぱくぱくと食べ、一松が出してきた秘蔵の地酒をごくごく飲み、二人の古くさい冗談に声を上げて笑った。その様子が弥生には不思議で仕方がなかった。当然だ。「研修」などと言ってここまでやってきた蓮介の真意がさっぱりわからなかったし、よく知りもしない蓮介のことを何の抵抗もなく家に泊める祖父母もひどく奇妙に思えた。しかし後者の疑問は、蓮介がトイレに立ったとき解決した。

——やーちゃんあんた、やるじゃないの。

テル子が膝をすり寄せるように近づいてきて言ったのだ。

——結婚の話とか、もう出てるんでしょ？

意味がわからなかった。

――え、誰と。

――葉月さんに決まってるじゃない、嫌ねあんた。

ばちんと肩を叩《たた》かれた。弥生が言葉を返す前に、一松が湯呑《ゆの》みに酒を注ぎ足しながらしみじみ言った。

――会いたい一心で北海道まで追いかけてくる男なんて、そうそういやしないよ。やーちゃん、決めちゃってもいいと、おじいちゃんは思うよ。

二人はとんでもない勘違いをしていたのだ。もっともいまにして思えば、あれは勘違いされても仕方のない状況だったが。

弥生はもちろん否定した。蓮介とはただの知り合いで、彼の会社と自分が勤めている会社とのあいだでちょっとした取引があるというだけの関係なのだと。すると祖父母は顔を見合わせて黙り、それからうっふっふと同時に笑った。まったく信じていない様子だった。

――どんなお仕事なの？　葉月さんは。

テル子が興味津々《しんしん》の様子で訊いてくるので、弥生は本当に自分とあの人は特別な関係ではないのだと念を押してから、蓮介の会社のことを説明した。レゴリスは北海道に店舗を持っていないので、テル子も一松も社名を知らなかったが、社長だと聞いて二人同時に目を丸くした。

――すごいじゃないのあんた。

――やーちゃん、そりゃ、玉の輿《こし》じゃないか。

――夏なのに、夜は冷えるんですね。

蓮介が部屋に戻ってきて、話は中途半端《はんぱ》に終わった。蓮介にはちゃんとした恋人がいるのだと、弥生は言ってしまいたかったが、けっきょく言えないまま一松は風呂《ふろ》に入って機嫌よさそうに「与作」を歌い、テル子は片付けものをしながら「夜明けのスキャット」を歌いはじめた。

「フキ、フキ、それ」

「あ、フキ、これ」

「二本、いや三本くらい刈ってくれるかな」

蓮介は地面からにょきにょき伸びたフキの根元に屈《かが》み込み、三本刈り取った。

「あくを抜かなきゃなんないから、昼飯んときだね」

「これ、フキだけで腹いっぱいになりそうですね」

「煮ちゃうから、けっこうちっちゃくなるよ。よし、あとは、もうちょっと上《かみ》の小川んとこでミゾソバでも摘んで帰ろう。さっとゆがいてカツブシかけて、美味いんだ」

一松を先頭に、エゾマツのあいだの山道をのんびりと登っていった。空気は冷たいのに、額にじんわりと汗をかいていた。

「俺むかし、北海道には馬鹿《ばか》でかいフキがあるんだと思ってた」

歩きながら蓮介は、片手でまとめて持っていたフキを頭の上にかざして見上げた。

「あ、もしかしてコロポックル人形のせいですか？」

「そう、あれのせいで」

フキの葉を傘にしたコロポックル人形を見て、コロポックルが小人なのではなく、フキが大きいのだと思ってしまう人は意外とたくさんいる。短大時代の友人にも何人かいて、そのことに北海道育ちの弥生は逆に驚かされたものだ。

「考えてみれば、身体《からだ》ってのは、ちっちゃいほうが何かと便利だよなあ」

一松が前を向いたまま言った。

「フキは傘になるし、シャケでもマグロくらいの大きさになる。一万円なんて、何十万円の価値になるんじゃないかなあ」

「お金は関係ないじゃん」

弥生が言うと、一松は細い肩を揺らして笑った。

「たとえだよ、たとえ」

登っていくにつれてエゾマツが密になり、樹冠が朝陽を遮って、周囲がだんだんと薄暗くなってきた。小さい頃から一松の山菜採りに付き合うなどして馴染《なじ》みのある山道だが、久々に登ってみると、途中で景色がこんなに何度も変化したかとびっくりする。ミゾソバが採れる小川までは、ここからもう十分くらいだったろうか。

「なあ、葉月さん」

急に一松が立ち止まって振り返ったのは、行く手の木々のあいだから水音が聞こえはじめたときのことだった。

「あの木、何歳くらいに見えるね」

一松が目で示したのは、一本の小さなエゾマツだった。木々が密集した、とりわけ薄暗い場所に生えていて、背丈は弥生ほどしかない。それでもちゃんとエゾマツの姿かたちをしているので、まるで周囲の木々のミニチュア版のようだった。

「……四歳か、五歳くらいですか？」

弥生も同じ意見だった。周囲の木が大人だとすると、ちょうど幼稚園児くらいに見える。

「それがさ、あいつ、俺と同い年なんだよ」

「え」

蓮介と弥生は同時に声を上げた。

「歳《とし》の数え方、教えてあげるよ」

一松が山道を外れて小さなエゾマツのほうへ歩いていったので、蓮介と弥生はついていった。

「針葉樹はみんなそうなんだけどさ、一年に一回、幹から枝を横に伸ばすんだ。だから、横に伸びた枝の数をかぞえてやれば、歳がわかる。下のほうの枝は枯れて落ちてることもあるけど、痕《あと》が残ってるから、だいたい数えられるもんだよ」

小さなエゾマツのそばに屈み込み、一松はゆっくりと時間をかけて、幹に指を沿わせながら枝の数をかぞえていった。

「……六十七、六十八、六十九、七十」

ね、と言って蓮介を振り返る。たしかに細い横枝と、横枝が落ちた痕が、合わせてそれだけの数あった。

「すごいもんだよねえ。陽が当たらない場所に生えた木は、こうしてじっと待ってんだもん。周りの木が、伐《き》られるか倒れるかして、太陽が当たってくれるのをさ。この木なんて、七十年もずっと待ってんだよ。面白いもんだよね。同じ年だけ生きてんのに、でっかくなったやつもいれば、こんなふうに小さいままのやつもいるんだ」

屈んだまま、一松は腕を組んでうんうんと頷《うなず》いた。蓮介と弥生も隣にしゃがみ込み、小さな老木を眺めた。

「俺は、こういう小さいやつのほうがいいなあ」

「どうしてです?」

蓮介が訊《き》くと、一松はにっこり笑って答えた。

「だってさ、伐り倒されないもの。でっかいやつは、そりゃ遠くの綺麗《きれい》な景色を見たりなんかできるかもしれないけど、そのかわり伐り倒されちまうだろう? 俺はそれよか、こんなふうにしてひっそり長生きしたいなあって、そう思うよ」

蓮介は小さく頷いただけだった。しかし、一松がよっこらしょと腰を上げ、山道のほうへ戻りかけたとき、呼び止めるように訊いた。

「大きな木は……必ず伐り倒されますか?」

一松は眉《まゆ》を上げて蓮介の顔を見返すと、ゆるくかぶりを振った。

「いや、そうじゃないやつもいるよ。たとえば、あっちに生えてる、あれ」

背伸びをしながら、斜面の下のほうを指さす。木々のあいだから、小高い丘が見えている。地盤の関係なのだろうか、そこにはほとんど木が生えておらず、しかしたった一本だけ背の高いエゾマツが立っていた。

「ああいう一本木は、誰も伐らないね」

蓮介が目で訊ね返すと、一松は顎《あご》を上げて丘のエゾマツを眺めながら説明した。

「ああやって、たった一本で雨風に耐えてきた木はさ、たしかに強いけど、ずっと身体に力入れて生きてきたもんだから、木の癖ができちまってるんだよ。そういう木は、材木としてちっとも役に立たない。ねじれたり、割れたりしてさ。だから、誰も伐らないんだ」

しばらく一本木を見つめていた一松は、ぽんと手を叩いて踵《きびす》を返した。

「あんまり寄り道してると、ばあさんが心配するかな。山菜はもうやめにして、戻ろうか」

帰り道、蓮介はずっと黙り込んでいた。その理由が、なんとなく弥生にもわかったので、話しかけるのがためらわれた。家に到着し、蓮介がテル子に山菜を渡しに台所へ向かったとき、弥生は一松に小声で言った。

「あたし、あんな話初めて聞いたよ。小さい頃から何回もいっしょに登ってた山なのに、おじいちゃん、あたしには話してくれなかったね。同い年のエゾマツのこととか」

「やーちゃんには、話す必要がなかったからだよ」

居間の畳に胡座《あぐら》をかき、足の裏を親指で押しながら一松は笑った。

「何それ」

一松はしばらく自分の足を揉《も》んでいたが、やがて台所のほうへ目を向けて言った。

「葉月さん、社長さんだって言ってたけど……きっと大きな会社なんだろうな。なんとなく、ゆうべ話しててわかったよ。それで、こんなところまで何の研修に来たのかも、わかった気がしたんだ」

「何だったの？　あたしぜんぜんわかんないんだけど」

訊いてみたが、ゆるゆると首を横に振られた。

「なかなか、言葉じゃ上手《うま》く言えないよ。でも、力になってあげたいなあなんて、偉そうなこと考えちゃってさ。あんな話、させてもらったんだ」

弥生を振り返り、一松はにやりと唇の端を持ち上げる。

「いい人じゃないか、葉月さん」

「いや、だから、あたしとはただの知り合いなんだって」

「わかってるよ、そんなことは」

一松は目を細めて笑った。

朝食のあとで、ふたたびメロンの収穫作業を手伝った。蓮介は昨日よりもいっそう真剣に働き、一松もテル子も作業が進んだことをとても喜んだ。日が暮れる間際《まぎわ》まで四人で収穫をつづけたが、それでもさすがにすべてのメロンは穫《と》りきれなかった。残念そうな顔をする蓮介に、あとは二人でやるから大丈夫だと一松は笑顔を向け、手伝ってくれたことにもう一度礼を言った。

昨日よりもちょっと豪華な夕食を食べ終えたとき、弥生は東京から持ってきていたものがあったのを思い出した。

「おじいちゃん、久しぶりに線香花火やろうか」

「火種ぎろちん競争か」

「火種ぎりちょん競争だよ」

高畠《たかはた》商会の花火を社員割引で買ってきたのだ。

テル子は腰を冷やすとあとで痛むからと言い、一松、蓮介、弥生の三人で縁側に出た。誰が一番長く火種を落とさずにいられるかを競い、数回の勝負の結果、一番多く勝ったのは蓮介で、弥生が二番だった。しかし弥生は、昔のように一松が途中でわざと自分の手元を揺らして火種を落としていたのを見逃さなかった。蓮介もきっと、気づいていただろう。

―蓮介―

風呂を使わせてもらったあと、サンダルを借りて庭に出た。東京の何倍も星が浮かんだ夜空に、真っ白な半月が昇っていた。

「……何してるんですか？」

弥生が縁側の掃き出し窓から顔を覗《のぞ》かせた。背後の部屋の明かりのせいで、表情はよく見えない。

「ちょっと、醒《さ》まそうと思って」

「おじいちゃん、どんどん飲ませてましたもんね。自分は歳《とし》だからとか言って、ちびちびしか飲まないくせに」

「知らない奴《やつ》がいきなり押しかけてきたのに、泊めてくれた上に酒まで飲ませてくれるんだから、ありがたいよ」

「いきなり何かする人、嫌いじゃないみたいですよ。おじいちゃんもおばあちゃんも」

濡《ぬ》れ縁の下に置いてあったサンダルを素足に突っかけ、弥生も庭に出てきた。蓮介と並んで空を見上げる。

「訊いていいですか？」

「……何しに来たか？」

弥生は頷きながら蓮介に顔を向けた。洗い髪のあいだから覗いた額を、月の光がうっすらと白く染めた。網戸の向こうで一松の声がする。テル子に、爪切《つめき》りをどこへやったか訊いているようだ。

どちらからともなく歩き出した。サンダルで土を踏みながら庭を進み、物干しの脇《わき》を過ぎ、門番のように座っている大きな石の前を抜けて田舎道に出た。

「上海で、メロンの収穫の話をしてただろ。うちのおじいちゃんは、箱に詰めたメロンに、いちいちお礼を言うんだって」

あまり思い出したい話ではなかったのだろう、弥生は前を向いて歩きながら、小さな仕草で頷いた。

「本人に会ってみたくなってさ。そんなことができる人って、どんな顔してて、どんなことを考えて、どんな話をするんだろうって」

「それが、研修ですか？」

「そう……研修」

Tシャツの首もとに夜風が冷たかった。弥生は長袖《ながそで》のパーカを着ている。そのパーカのポケットから、彼女は何か丸めたものを引っ張り出して蓮介のほうへ差し出した。

「おばあちゃんのですけど」

薄手のマフラーだった。蓮介は礼を言って受け取り、マフラーを首に巻いた。箪笥《たんす》から出してきてくれたのだろうか、防虫剤の匂《にお》いがほんのりと顔を包み、それがとても懐《なつ》かしかった。

「おじいちゃんに会うために、こんなところまで来たんですね」

街灯もない道を、並んで歩いた。目の前に広がる真っ黒な影は、今朝登った山だ。

「本人に言ってあげたら喜びますよ」

蓮介は曖昧《あいまい》に頷いた。山のほうからゆるい風が吹いたが、いまはマフラーをしているので、かえって頰に心地よかった。

「あそこに葉月さんが見えますね」

「俺?」

意味がわからず訊き返すと、

「あそこです」

弥生は山へとつづく小高い丘を指さした。今朝ほど山の上から眺め下ろしたあの一本木が、ぽつんと生えている。

そこへ向かって歩きながら、弥生が唐突に訊いた。

「葉月さんも、一人でずっと雨風に耐えてきたんですか？」

すぐには答えられなかった。言葉を探しているうちに弥生がつづけた。

「あの木、太くて真《ま》っ直《す》ぐに立っていて、強そうだけど、なんだか寂しそうですね」

「そんなふうに見えるだけだろ」

「そうでしょうか」

言った直後、弥生は道の凹凸に足をとられたらしく、がくんとよろけた。あ、と思った瞬間に蓮介もよろけ、二人でそのまま立ち止まった。

「街灯くらいつけりゃいいのにな」

「暗くなってからこんな道を歩く人、誰もいないんですよ。キツネくらいです」

蓮介は前に向き直り、暗がりの向こうに浮かぶ一本木を眺めた。

「はい、なぞなぞ」

どうしても弥生に答えてもらいたい問題が、一つあった。それは今日、メロンの収穫作業をつづけながら、蓮介の頭に、答えとともに唐突に浮かんだものだった。

「またですか？」

「そう、また」

しかし、今回のはかなり難しい。さすがに弥生でもわからないだろう。蓮介にはそんな思いがあった。

「悪いけどあたし、けっこう自信ありますよ」

「今回は難問中の難問だ」

「望むところです」

蓮介は前方の一本木を見た。弥生もまた前を向き、蓮介の言葉を待った。

「あの木と、葉月蓮介の違いは何か」

「……違い？」

訊き返してから、弥生はしばらく黙り込んだ。ちょうど一本木の真上に、月がある。白い半月の周りに、墨絵のような陰影をもった雲が浮かんでいる。どこかで地虫が弱々しく鳴いている。

「わかりましたよ」

静かな声で言い、弥生が身体《からだ》ごと蓮介に向き直った。

「葉月さんは、木じゃありません」

驚いた。蓮介が相手の顔を見返したまま何も言えずにいると、弥生は小さく笑った。

「ぜんぜん難問じゃありませんよ」

頷《うなず》いたような、頷かないような、自分でもよくわからない仕草を返し、蓮介はふたたび田舎道に歩を進めた。弥生も並んで歩いた。丘のすぐ下まで近づいて、二人で一本木を見上げた。

「ところが、俺には難問だったんだ」

八方に枝を張り出し、力強く立つ木のシルエットを見つめながら蓮介は言った。

「今日まで、そんな簡単なことがわかってなかった」

大丈夫、きっと上手くいく。

そんな漠然とした思いが、いつのまにか胸の奥で脈打っていた。

「ここに来て、やっとわかった」

以前に自分の中にあった、あの力ずくで裏打ちをした自信とは違う、何か確信めいた力が全身に広がっていくのを蓮介は感じていた。

「礼を言わないと」

「今日中に言うんなら、早く戻らないと、おじいちゃん寝ちゃいますよ」

「いや、おじいさんにじゃなくて――」

言葉を切ると、弥生がこちらを向いて驚いたような顔をした。

「え、あたしですか?」

蓮介は頷いた。弥生がいたから、自分はこんなところまで来た。いや、本当はそれが目的だったのだ。弥生の顔を見て、弥生と話をすることが。

そんな気持ちを、蓮介は弥生に、短い言葉で打ち明けた。弥生はすっと両目を広げて蓮介を見返し、唇が何か言おうとして少しひらかれ、しかしそのままふたたび閉じられた。

自分の右手が、自然に持ち上がるのを蓮介は感じた。手の先がゆっくりとパーカの腰へと伸ばされていき、指に弥生のあたたかさを感じた。弥生は暗がりの向こうから蓮介を真っ直ぐに見ていたが、指先がパーカの布地に触れようとしたその瞬間、不意に視線を外し、そっと身を引いた。

「嬉《うれ》しいですけど……」

自分の足元に目をやり、弥生は考えるような間を置いてから、呟《つぶや》くようにつづけた。

「そういうのは、駄目ですよ」

何を否定されたのか、明確にはわからなかった。わからなかったが、訊《たず》ね返すこともできず、蓮介はそのまま右手を下ろした。力の抜けた右手は、身体の脇でぶらぶらと揺れた。

――弥生――

流れる雲を見下ろしながら弥生は、上海から帰ってきたときと同じだな、と思った。あのときも、突発的に旅に出て、その旅先で蓮介と会った。そして嫌な後味を嚙《か》み締めながら帰路につき、飛行機の窓から溜息《ためいき》まじりに空を見ていた。機体が雲の上に出て、空は見渡すかぎり青いのに、心はいつまで経《た》っても晴れなかった。

いや、違う。弥生は胸の中でかぶりを振った。同じなんかじゃない。ただ似ているだけだ。上海からの帰路は、蓮介への怒りでいっぱいだった。しかしいまは違う。

朝起きると、蓮介はいなくなっていた。一松とテル子に訊《き》いてみたら、早朝から起き出し、急用ができたと言って静かに帰り支度をしはじめたのだという。テル子が弥生を起こそうとしたら、起こさないでくれと頼み、二人に何度も礼を述べ、深く頭を下げて帰っていったらしい。

ゆうべ、あの一本木のそばで蓮介は弥生に自分の気持ちを伝えてくれた。嬉しかった。そして弥生は、これまでずっと、自分がそんなふうに言ってもらいたかったのだと知った。しかし――。

窓に額を押しつけて、弥生はぼんやりと雲海を見下ろした。シュウメイのことを思った。彼女と歩いた浅草や上野、いっしょに生ビールを飲んだり、亮と三人で笑い合ったことを、ホテルの部屋で見せられた、あのやつれた微笑を思った。

彼女を裏切ることなんて、自分にはできない。

スピーカーからアナウンスが流れ、機体がしだいに高度を下げていくのがわかった。やがてシートベルト装着の指示があり、窓の外が雲で真っ白になった。

空港で旅行バッグを受け取り、バスターミナルへと向かった。そういえば静也にメロンを持って帰ってくると言ったのに、すっかり忘れていた。祖父母の家に電話して、高畠商会宛《あ》てに送ってもらおうか。そんなことを考えていると、ハンドバッグの中で携帯電話が振動した。短く震えてすぐに止まったので、たぶんメールだ。

バスに乗り込んでから、携帯をひらいてみた。メールの差出人が《月牙の玉ちゃん》となっているのを見て、はっとした。長いメールではなかった。しかし弥生はしばらくその文面から目をそらすことができなかった。

《さようなら　友達になってくれてありがとうございました　葉月さんとのこと　嘘《うそ》でした　ごめんなさい》

――蓮介――

「葉月です。とにかく一度、連絡がほしい。どこにいるかを教えてくれるだけでもいいから。みんな、心配しています」

何度目かのメッセージを残し、蓮介は電話を切った。

「申し訳ありませんでした、私が――」

雉畑が言いかけるのを片手で制し、風見に顔を向ける。

「探せる場所は探したんだろ？」

「はい、ぜんぶ」

「アパートはどんな感じだった」

「鍵《かぎ》がかかったままだったので、中までは」

蓮介は小さく頷き、デスクに肘《ひじ》を載せて指を組んだ。そこは展示会場のスタッフルームで、レゴリスの営業社員がひっきりなしに出入りしている。

昨夜、一本木が立つ丘のふもとから弥生の祖父母の家へ戻ると、部屋に置きっぱなしにしていた携帯電話にメッセージが残されていた。聞いてみると、雉畑からで、展示会は順調だという連絡だった。蓮介は雉畑の携帯に電話をし、私的な理由で東京を離れてしまったことを詫《わ》びた。

——大事な御用なら、仕方がありません。

雉畑は穏やかな笑い声を返した。

それから二言三言、会話をして、蓮介は電話を切ろうとしたのだが、そのとき不意に風見の声が聞こえたのだ。

——専務、もう社長に話したほうが……。

雉畑が仕草で制したらしく、風見の声はそこでぴたりと途切れた。何かあったのだと、すぐにわかった。蓮介が訊ねると、さすがに誤魔化せないと思ったのか、雉畑は謝罪の言葉を前置きにして、シュウメイが消えたことを打ち明けたのだった。

いったいシュウメイはどうしてしまったのか。ホテルの荷物は綺麗《きれい》に片付けられていたらしい。日本で、彼女が身を寄せられる場所などないはずだ。しかし携帯電話にかけるとすぐに呼び出し音が鳴るので、国内にいることは間違いない。

組んだ指に自分の額をぶつけていると、デスクの上に置いた携帯電話が鳴った。素早くディスプレイを確認し、蓮介は思わず舌打ちをした。

「真絵美か……」

「あいつはいつも嫌なタイミングでかけてくる」

短く息を吐いてから電話に出た。

「真絵美さん？」

『いま忙しい？』

「忙しいけど」

『いいニュースがあるんだけど聞かない？』

こちらの状況を知りもしない真絵美の声は、ひどく明るく、とても耳障《みみざわ》りだった。

「どんなニュースだよ」

『あたしね、泥棒しちゃったんだ。生まれて初めて』

「なに言ってんだ……」

蓮介は面倒になって電話を切ろうとしたが、つぎに真絵美がつづけた言葉によって一気に注意を引き戻された。

『レゴリスの広告モデルが万引きしたものより、もっとすごいもの盗んじゃった』

耳を疑うとは、きっとこういう状況をいうのだろう。いま真絵美は何と言った？　いつもどおりの気軽な口調で、とんでもないことを言ったのではなかったか？　照源から、あの話を聞いたのだろうか。そうなると、真絵美のほかにも知っている人間がいる可能性もある。

「……どういうことだ」

余計な情報を口にしてしまわないよう、短く訊ねた。しかし、返ってきた相手の声を聞いたとき蓮介は、自分のそんな気遣いがまったく無意味だったことを知った。

『どういうことって、万引きの話？　ついさっき知ったのよ。あたしが盗んだものに、ごちゃごちゃ細かく書いてあった。はじめは何だかわからなかったんだけど、お父さんを問い詰めたら白状した。あ、ついでに蓮介とモデルさんの抱擁の瞬間も見ちゃったから』

頭の中に空白が降りた。

『聞いてる？』

その問いかけで、ようやく蓮介は言葉を取り戻した。

「もしかして、お前が盗んだものって――」

その先は相手がつづけてくれた。

『ストーカーのノートと、隠し撮りの写真。お父さんのデスクにあったやつ』

くすくすと、真絵美は子供のような笑い声を立てる。

『あたし、お父さんのやってること、うすうす勘づいてたんだよね。だから、それとなく最近お父さんのこと監視してたの。で、デスクの中に大事そうに仕舞ってあるノートと写真に気づいたってわけ』

「それを……盗んだのか？」

『そう、盗んだの。お父さんアナログ人間だから、パソコンにデータ保存してるとか、そういうのもないと思うよ。ノートと写真は、あたしが責任持って処分してあげる。お父さんも、さっきあたしのタンカに降参したところ。蓮介、うちと業務提携なんてしないでいいよ。モデルさんのことも、このまま使ってあげて。うちの会社のことは心配いらない。なんとかやってくから。お父さんも、もう覚悟決めたみたいだし』

頭を整理するのに、時間がかかった。かかりすぎて、また真絵美に『聞いてる？』と問いかけられた。蓮介は言葉を返そうとして息を吸い込み、しかし何も言えずにその息を吐き出してしまい、もう一度吸い込んでからようやく言った。

「恩に着る」

その言葉に対して真絵美は何も答えず、かわりにまったく関係ないことを言った。

『そういえば、こないだ言ったの、あれ嘘だからね』

「嘘……何が」

『いまのほうが恰好《かっこ》いいって言ったでしょ』

真絵美の声には、ほんの少しだけ虚《むな》しさのようなものが混じっていた。

『昔のほうが、ほんとは恰好よかったよ。でも恰好悪い男って、なんか世話焼きたくなっちゃうんだよね』

真絵美はまた子供のような声で笑った。そして、本当かどうか知らないが『仕事があるから』と言って電話を切った。

しばらく、蓮介は通話の終了した携帯電話を眺めていた。目を上げ、もの問いたげな二人の顔を交互に見た。

「ぜんぶ……解決するかもしれない」

ほとんど独り言のように呟くと、蓮介は携帯電話のリダイアルボタンを押した。シユウメイは相変わらず応答せず、留守番電話に切り替わった。

問題が消えてなくなったこと。これからもレゴリスの広告モデルをつづけてもらえるようになったこと。そうしてほしいこと。

メッセージを残し、蓮介は電話を切った。

第七章　思わぬ便り／無言の同意

―弥生―

「あい、生ね」

鉄二がカウンターテーブルに新しい生ビールを置き、弥生の飲み終えたジョッキを取り上げた。それを胸のあたりに持ったまま、感心でもしたように弥生の顔を眺める。

「そんで何だっけ……え、おもちゃ屋？　その前は派遣社員？」

「なにその顔。もしかして玩具《がんぐ》店の事務員と派遣社員を同時に馬鹿《ばか》にしてる？」

「いや、べつにそういうアレじゃねえけどさ」

すべて正直に白状したのだ。自分は高給取りのキャリアウーマンなどではまったくなかったこと。なんとなく話を合わせているうちに気持ちがよくなり、ついつい嘘《うそ》をつきつづけてしまったこと。以前やっていた仕事や、いまの勤め先のこと。

「じつは俺……ずっと思ってたんだよね」

珍しく、鉄二の声はぼそぼそして聞き取りづらかった。

「何を？」

「似合わねえなあって」

「ひょっとして、ずっと疑ってた？」

「いやあ、疑いはしねえよ。俺、正直の上に馬鹿がつく人間だからさ。でもなんかアレじゃん、弥生ちゃんってそういうアレじゃねえっていうか」

「アレアレ言わないでよ、意味わかんないよ」

「まあでもアレだよ」

鉄二は目を細くして笑った。

「ちょっと嬉《うれ》しいよ」

何が嬉しいのかと訊《き》き返したが、鉄二は微笑したまま首を振り、弥生が二杯目のビールといっしょに注文したホタルイカの沖漬けを皿に盛った。すっきりしない気分で弥生がビールをごくりとやったら、ハンドバッグの中で携帯が振動した。シュウメイからのメールだ。

《線香花火のCM　もうすぐテレビでながれます　8です！》

「マスター、テレビつけて、8チャン」

「なんかやんの？」

「マスターの好きな人が出るんだよ。あのレゴリスの」

「おお、謎《なぞ》の女？」

鉄二はいそいそとカウンターの端に置かれたテレビのスイッチを入れた。映ったのは連ドラで、弥生と同年配の女性が、相変わらず頭を抱えて悩んでいた。

「そういや弥生ちゃん、前にここに連れてきたあの子――」

言いかけたところで、入り口の引き戸が開いてスーさんとケンちゃんが入ってきた。二人は弥生に片手を上げて笑いかけ、いやいや暑いとか腹減ったとか言いながらカウンターにどかどかと腰を据える。

何があったのか詳細は訊かなかったが、シュウメイはふたたびレゴリスのモデルとして働くことができるようになったらしい。あれから何日か経《た》った夜、本人が電話をしてきて、嬉しそうに報告してくれた。そして蓮介とのことで嘘をついたことを弥生に詫《わ》びた。シュウメイは泣いていたが、それが哀《かな》しい涙ではないことが弥生にもわかったので、笑い声を返すことができたし、どうしてそんな嘘をついたのかと、訊かずに電話を切ることもできた。

　空港の弥生にメールをくれたとき、シュウメイは父親と暮らしたアパートで一人膝《ひざ》を抱えていたのだという。上海《シャンハイ》に帰る決心をし、日本での最後の時間を、そこで過ごしたかったのだそうだ。そのあいだ、レゴリスではシュウメイが行方不明だと大変な騒ぎになり、風見がアパートを訪ねてきたりもしたらしい。しかしシュウメイはドアの内側でじっと息を殺し、応答しなかった。これからもレゴリスのモデルをつづけてほしいと蓮介から連絡があったのは、部屋を出て空港に向かおうとしていた、ちょうどそのときのことだったという。

　いまはシュウメイのほうが忙しくなってしまったが、時間ができたら、また二人であちこち散歩しようと約束していた。数日前の電話で、秋には根津神社で祭りがあるので、必ず行こうと二人して決めた。

「お、なんだこれ、新しいバージョンじゃねえの？」

「どれ、ほんとだ」

「いいよなあこの女優さん」

　鉄二とスーさんとケンちゃんがつづけざまに言った。弥生もテレビに目を移した。

　画面では、浴衣姿《ゆかたすがた》のシュウメイが、高畠商会の線香花火を見つめている。

　綺麗《きれい》だな、とあらためて思った。

―シュウメイ―

レゴリス上海支社から転送されてきた手紙を、シュウメイは仕事帰りのタクシーの中で取り出した。上海でテレビＣＭを見た視聴者からの、ファンレターらしい。日本人からの手紙はたくさんもらうが、中国からというのは稀《まれ》だった。封筒の匂《にお》いさえ、何か懐《なつ》かしいように感じながら、シュウメイは四つ折りの便箋《びんせん》をゆっくりと抜き出した。

そこに綴《つづ》られた丁寧な中国語を見て、あれ、と思った。

見たことのある文字だ。

借りていたものを、どうしても返したい――差出人はそう書いていた。そして、それほど長くない手紙の中に、五度も「対不起《ドゥイブチー》」という言葉を繰り返していた。それは、いつかの朝、上海のアパートにそっと置かれていたあのメモにも書かれていた言葉だった。そう、あのときはメモ用紙の真ん中に、この言葉だけがぽつんと書かれていたのだ。「ごめんなさい」という、この言葉だけが。

目の奥が熱くなった。気がつけばシュウメイは涙を流しながら、何度も手紙を読み返していた。

—蓮介—

「きみには、わからんだろうな。自分のつくってきたものが、いまにも消えてなくなろうとしている、この悔しさ……哀しさ」

見る影もなく、照源は疲れ果てた顔をしていた。

マストポールの会長室に設《しつら》えられた応接スペース——あの日、シュウメイとの隠し撮り写真やストーカーのノートを見せられたその場所で、蓮介は照源と向き合っていた。ただし今回は二人きりではない。照源の隣に、真絵美が長い脚を組んで座っている。

「わかりません」

蓮介は頷《うなず》いて答えた。

「失《な》くすなんて、考えたこともないので」

そのとき、背中を丸めてうなだれ、目だけを蓮介に向けていた照源が、ふっと顔を上げた。頬が、ほんの少し持ち上がった。隣で真絵美が微《かす》かな笑い声を立てる。どうしたというのだろう。二人の仕草の意味が、蓮介にはわからなかった。

「きみの親父《おやじ》さんが、昔よく言ってたよ」

照源は胸のポケットから煙草《たばこ》を取り出して一本咥《くわ》えたが、思い直してそれを卓上に置くと、なにやら懐かしげな目を蓮介に向けた。

「うちの息子は、とてもわかりやすい質《たち》だから、将来が心配だって」

「……わかりやすい？」

「泣くときは、両手で顔を隠して泣く。怒るときは力いっぱい両手で握り拳《こぶし》をつくって怒る。笑うときはでかい口をあけてケラケラ笑う。見栄《みえ》を張るときは――」

照源はゆっくりとした仕草で顎《あご》を突き出した。

「思いっきり胸をそらせる」

自分の身体《からだ》を、蓮介は見下ろした。馬鹿みたいに胸を張っていることに初めて気づき、思わず苦笑が洩《も》れた。

「学生のときまでは、ずっとそうだったよね、蓮介。考えてることとか思ってること、何も隠せない人だった」

「そうか？」

「レゴリスを興《おこ》してからは、なんだかわかりにくい奴《やつ》になっちゃってたけど」

真絵美は父親が置いた煙草を咥え、卓上ライターで火をつけてからつづけた。

「また戻ったのかな」

そらしていた胸を、意識して引っ込めながら蓮介は曖昧《あいまい》に首を振り、照源に白状した。

「ほんとは、毎日想像してます。自分のつくってきたものが、消えてなくなったときのこと。会社がつぶれる夢も、毎晩見ます」

「そうでなけりゃ、あんなに会社は大きくならない」

照源はそっと顎を引いた。

「これからもきっと、きみのところは大丈夫だ。私はな、蓮介くん。私は会社が傾いてから、初めてそういったことを考えるようになったんだ。だから駄目だった。考えはじめたときには、遅かったんだよ」

蓮介が口をひらこうとすると、照源は短く首を横に振って制した。

「会社はもう駄目だが、なんとか生きていくさ。いろいろ迷惑をかけて、すまなかった」

両手を膝にあて、照源は頭を下げた。そのまましばらく上げなかった。ずいぶん白髪の交じった頭頂部を、蓮介はじっと見つめた。

「おじさん」

やがて蓮介は、先ほど言いかけた言葉を口にした。

「いっしょに、立て直しませんか。マストポールを」

先に驚いた顔をしたのは真絵美で、つぎに照源が、子供が大きな音でも聞いたときのように、丸い目を上げて蓮介を見た。口の端に皮肉っぽい笑みを浮かべて訊く。

「それは、あれかな？　ひょっとして私に――」

「同情なんてしていません」

蓮介は即座に答えた。

「社内で役員と相談して、あくまでレゴリスのメリットを考えて決めたことです。うちにはいま、マストポールのような迅速な配送力が必要なんです。とはいえ、もちろん現在利用しているトランスネットとも手を切るつもりはありません。それぞれが得意としている業務を、それぞれに委託するかたちで協力してもらいます。それでいかがですか？」

口を半びらきにして蓮介の顔を見つめたまま、照源は長いこと答えなかった。

「お父さん」

真絵美に呼びかけられると、ようやく照源ははっと娘に顔を向け、それからまた蓮介を見た。

少しだけ偉そうに、照源は頷いた。

「やらせてもらおう」


ビルを出るときは真絵美がエントランスまで送ってくれた。

「学生時代からの蓮介をぜんぶ比較して言うんだけど」

彼女は自動ドアの脇《わき》の強化ガラスに肩をもたれさせ、珍しくはにかんだ顔をしていた。

「いまがいちばん、恰好《かっこ》いいかも」

「人間誰でも成長するってことだ」

ドアが左右にひらき、街灯に照らされた歩道が見えた。蓮介が軽く手を上げてビルを出ようとすると、真絵美は呼び止めた。

「夕食でも、いっしょにどう?」

蓮介は腕時計を覗《のぞ》いた。

「いや、ちょっと約束があるから」

「忙しいんだね」

「社長だからな」

片手を差し出されたので、何かと思ったら、どうやら握手を求められているらしい。にわかに居心地の悪さをおぼえながら、蓮介は真絵美の手を握った。

―弥生―

「おお、いらっしゃい！」

がらがらと入り口の引き戸が鳴り、蓮介が入ってきた。弥生の顔を見て軽く頷き、食券を買って隣に座る。奥の席にいたスーさんとケンちゃんも、ちょっとだけ蓮介に会釈《えしゃく》をした。

蓮介と待ち合わせたのは初めてのことだ。

会うのは、北海道でいっしょに過ごして以来だった。

注文した生ビールが目の前に出されると、蓮介は弥生のほうにジョッキを向けて、ほんの少し持ち上げてみせた。弥生も慌《あわ》てて自分のジョッキを取って持ち上げた。

「久しぶり」

「どうも」

そこで早くも会話は途絶えた。何を話していいのかわからなかった。スーさんとケンちゃんは、気を遣っているのか、それとも彼らもまた気まずいのか、テレビのほうを向いたままもぞもぞとスツールの上で尻《しり》を動かしたり咳払《せきばら》いしたりしている。

「あれ、耳がどうかしたかな……声がまったく聞こえねえ」

鉄二が余計なことを言いながら耳の穴をほじって首をひねった。

「お腹《なか》は空《す》いてます？」

弥生は訊《き》いた。

「空いてるけど」

「おごりますよ、巨大明太子《めんたいこ》おにぎりでも」

「いいよ」

「おごりますって。マスター、おにぎり二つ」

弥生は口で注文してから食券を買った。

鉄二がおにぎりを二つつくるあいだも、弥生と蓮介がそれを食べているあいだも、ほとんど店内に会話はなかった。やがて弥生は蓮介を見た。同時に相手も弥生を見た。二人は無言で意見を交わし、同意に達した。

「出ましょうか」

二人は席を立ち、鉄二やスーさんやケンちゃんに小さく頭を下げて店を出た。戸を閉める直前、三人がサッと顔を寄せ合って何ごとか囁《ささや》き合いはじめたのが見えた。

もうすぐ七月も終わる。

昼間は暑さも本格化していたが、今夜は少し風が出て、涼しかった。Tシャツの首元に空気が滑り込むのを感じながら、弥生は蓮介と並んで路地を歩いた。どちらが先に足を向けたのか、やがて着いた場所はあの児童公園だった。

街灯のそばにあるベンチへと近づいたが、どちらも腰は下ろさなかった。

「いろんなことが、ぜんぶ上手《うま》くいきそうなんだ」

夜空を見上げ、蓮介は独り言のように呟《つぶや》く。

「北海道での、研修の成果ですか？」

「そう、あれのおかげで」

互いのすぐそばに、二人は立っていた。囁くほどの声でもよく聞こえる距離だった。

「俺、頭が硬かったんだな。何についても、一つのやり方で力任せに押し進めることしかできなかった。でも、やり方は決して一つだけじゃないんだ」

仕事のことを言っているのだと、弥生は思っていた。話の流れからして当然だ。しかしそれは勘違いで、蓮介が話していたのはじつは仕事のことだけではなかったのだと、弥生はすぐに知ることとなった。

「一つ試して駄目なら、別のやり方を考えればいい」

言いながら、蓮介が弥生に身体を向けた。見上げた頭の後ろに満月がかかり、表情は見えなくなったが、うっすらと微笑《ほほえ》んでいるのはわかった。

片手を伸ばされた。指先が弥生の腕とTシャツのあいだをすり抜け、あたたかな掌《てのひら》がそっと腰を引いて、自分の身体が蓮介のほうに近づいていくのを弥生は感じた。

胸と胸とが軽く触れ、弥生は蓮介の体温を全身に感じた。

「研修の成果だ」

頭の上で声がした。

「この前と同じじゃないですか、やり方」

恥ずかしまぎれに弥生が言うと、生真面目《きまじめ》な声が返ってきた。

「一見そうだけど、じつは違う」

どこが違うのかと問い返そうとして、弥生は気がついた。

自分の腰を抱き寄せているのは、蓮介の左手だった。

エピローグ　再見《ツァイチエン》／さようなら

翌年、春先のこと。

富山県の神通川《じんづうがわ》にほど近い町の片隅で、一人の老人が一枚のＦＡＸを送っていた。顔はにこにこして、なにやらとても楽しそうだ。手にしたＡ４判の紙には四つの○がマジックで描かれている。○同士は互いにくっつきあうようにして四角く並んでおり、その絵の上に、あまり上手ではない字で「レゴリス最高！」。絵の下には「ベストコマーシャル賞おめでとう！　息子ながらアッパレ！」と書かれている。

四つの○が機械の中へ消えていくのを眺めながら、泰造はちょっと首をかしげた。

レゴリスのロゴが新しくなったことは雑誌の広告を見て知ったが、あれはひょっとして、一年前に自分が送ったＦＡＸのせいだったのだろうか。

いやいや、あんな悪戯《いたずら》ＦＡＸが、息子に会社のロゴを変えさせるような影響力を持っていたはずがない。しかし無関係だとすると、四つの○ということの一致は、どういうことだ。ただの偶然なのだろうか。そんなことが、はたしてあるものなのか。単純な図案だから、あるといえばあるのだろうけど——。

「ま、いいか」

今度の土日には久々に里帰りすると息子から連絡があった。そのときに、酒をくみ交わしながらでも訊《たず》ねてみればいい。

泰造は腕を組み、一人でうんうんと頷《うなず》いた。

＊＊＊

「もうちょっと早く歩きなさいよ」

「でも髪型が——」

「髪なんてどうでもいいでしょ、男の子なんだから」

「男の子って何だよ、立派な男だよ俺は。それよか姉ちゃん、俺チャック開いてない？」

「そんなの自分で見なさいよ、馬鹿《ばか》じゃないの」

ちょうど一年前、初めての一人旅にどきどきしながら歩いた空港のロビーを、弥生は前屈《まえかが》みになってずんずん進んでいた。亮の支度がなかなか終わらず、家を出るのが遅くなったのだ。

「姉ちゃん、汗かくと俺、髪型が――」

「シュウメイさんを見送れなくなっちゃうよりいいでしょ」

「あれ、ロナウドに餌《えさ》やってきたっけ。姉ちゃん、俺やってきたっけ？」

「知らないわよ馬鹿」

今日、シュウメイは日本を去るのだ。

彼女のテレビＣＭはあれからさらに評判となり、なにやらとても大きなＣＭフェスティバルで、なんと大賞を受賞した。そのことでいっそうシュウメイは世間の注目を集めた。そのおかげでレゴリスの業績もずいぶん伸びた。

しかしシュウメイは、モデル契約を更新しなかった。

――眩《まぶ》しすぎて、私には向いていない世界でした。

先日おんちゃんで、日本を去るという決心を打ち明けられたとき、シュウメイはそんなふうに言っていた。そして、上海《シャンハイ》に帰ったら友達と二人で琉璃珠《リウリジユー》の店をはじめるつもりなのだと、嬉《うれ》しそうに話してくれた。

「姉ちゃん、シュウメイさんがいっしょに店をやる友達って、男かな」

「らしいわよ」

「え……嘘《うそ》」

「ちょっと、立ち止まらないでよ」

「男なの？　え、男なの？」

「そうよ。でも女の人なんだって」

「は？　何それ」

「とにかくシュウメイさんがそう言ってたの」

キャリーバッグを運ぶビジネスマンの脇《わき》を、弥生はすり抜けた。

「ややこしい話だから、あとでいいでしょ。ほら行くよ」

ミンという名前の、古い友人らしい。ちょっとした出来事をきっかけに上海で仲違《なかたが》いし、それ以来連絡は途絶えていたのだが、シュウメイのCMを上海のテレビで見たミンが、レゴリス上海支社宛《あて》に手紙を出したのだそうだ。それが日本のシュウメイのもとへ送られてきて、二人はふたたび連絡を取り合うようになったのだとか。

「謎《なぞ》の女は謎のまま、上海に帰っちゃうんだなあ」

「シュウメイさんの人生だもん、人がどうこう言えることじゃないよ」

「おうい！」

背後から足音が勢いよく近づいてきて、横に並んだ。風見だった。

「いや、寝坊しちゃってさ、まいったよ。——おう、亮」

「風見さん、DSのソフト早く返してくださいよ」

「まだ終わってないんだよ、いままた仕事が忙しくて」

あれは三ヶ月ほど前のことだったか、亮と二人で珍しく買い物に出た日曜日、偶然風見とデパートで会った。せっかくだからということで三人でファミリーレストランへ入って食事をしたのだが、それからというもの、風見は亮と大の仲良しになってしまった。しょっちゅうメールのやりとりをしているし、飲みに行ったりもしている。風見は弥生にもたまにメールをくれたが、亮と何をしたとか、何を食べたとか、そんな内容ばかりだった。

「蓮さんも、ぎりぎりじゃないかな。店舗のほうから直接来るって言ってた」

「あ、そうですか」

本当は蓮介から直接電話が来て、そう言われていたのだが、弥生はついそんなふうに答えた。弥生と蓮介の距離が以前よりも近くなったことを、風見が知っているのかどうか、弥生にはわからない。蓮介とのあいだでも、そのあたりの話はどうもしづらく、いまだに訊《き》けずにいた。

それにしても、いろいろなことが起きた一年だった。蓮介、風見、シュウメイ、弥生——上海にはじまり、日本でまた関わり合い、笑ったり泣いたり怒ったりしているあいだに、あっという間に月日が経《た》ってしまった。

半年前から、蓮介は業務のあいだに時間をつくっては、全国各地の店舗で自ら接客をしているらしい。本人曰《いわ》く「研修のつづき」なのだそうだが、現場の社員たちは、隣に社長がいるところで接客しなければならないのだから大変だろう。自分がそうやって現場に出はじめたことで、逆に社員たちの意識が向上したのだと蓮介は言い張るが、本当だろうか。離職率が大幅に下がったなんて言っていたので、本当なのかもしれないが。

「お、蓮さんだ。おうい、こっち！」

ネクタイを緩めて髪を振り乱した蓮介が、革靴を派手に鳴らしながら走ってきた。

「なんだ、みんなして時間ぎりぎりかよ」

息を切らしながら、汗まみれの額を手の甲で拭《ぬぐ》う。

「シュウメイ、誰も見送りにこないと思っちゃうぞ」

「急ごう」

風見に促されてふたたび走り出し、四人でばたばたとロビーを突っ切っていくと、やがて前方に、混み合った搭乗口が見えてきた。シュウメイはどこだろう。弥生は目を凝らした。人が多すぎてわからない。

「シュウメイさん！」

亮が跳ね上がるようにして手を振った。人混みの中で、ふっとこちらに向けられた顔が見えた。可愛らしいチロルハットに眼鏡。シュウメイだった。彼女は近づいてくる弥生たちを見ると、ほっと安心したように微笑《ほほえ》んだ。

「商売なんて初めてですけど、レゴリスの広告モデルをやらせてもらったおかげで、珍しがって、来てくれる人もいると思います」

「いますよ、ぜったい。いなくても、シュウメイさんならすぐにお客さんが集まってきますって」

弥生が言うと、シュウメイは恥ずかしそうに前歯を覗《のぞ》かせて笑った。キャリーバッグのタグには、「しゅうちゃん」のバッジがくっついて揺れている。

離陸の時間が近づき、搭乗口周辺は先ほどまでよりもさらにざわついていた。家族旅行にでも来ていたのだろうか、小学生くらいの白人の兄妹が、ブッシュ前大統領そっくりなお父さんに注意されながら、ばたばたとふざけて走り回っている。

「弥生さん、このまえ言っていたものは？」

シュウメイに言われ、弥生はようやく思い出した。

「あそうだ、あれを渡さなきゃ」

ハンドバッグを掻《か》き回し、封筒に入った一枚の封筒と小箱を取り出す。小箱の中身は谷中銀座で買った鎌倉彫の手鏡と鼈甲《べっこう》の櫛《くし》で、封筒の中身は中国語の手紙だった。辞書と首っ引きで、わからない表現はシュウメイに訊き、どうにかこうにか書いてきた。手紙の一行目は「生日快乐　麗華！」で、誕生日を祝うリーファへの手紙だった。彼女のことをシュウメイに話したら、その住所なら自分も場所を知っているので、手紙を届けてあげると言われたのだ。

「必ず渡します」

小箱と封筒を、シュウメイはハンドバッグに仕舞った。顔を上げ、目の前に立つ蓮介を見つめる。やけにじっと見つめているので、どうしたのかと思ったら、

「こっちのほうが、いいですね」

蓮介が着ているスーツの襟《えり》を指さして、彼女は言った。そこにはレゴリスの新しい社章が光っていた。

レゴリスが会社のロゴを変えたのは、つい一ヶ月ほど前のことだ。会社が新たな一

歩を踏み出した証にと、蓮介が提案し、変更を実施したらしい。とはいえ、それまでのものに比べてがらりとイメージが変わったわけではない。従来のロゴは、砂を撒《ま》いたように散った点の隣に、満月のような○が浮かんでいるものだったが、新しいロゴは、その○が四つになっているのだ。

この新デザインを、日曜日の喫茶店で蓮介に見せられたとき、不思議なことに弥生には、四つの○がもうアメンボには見えなかった。そのかわり、つながり合った人間同士に見えた。自分の正面に立つ相手とはそれぞれ触れ合っていないが、全体として、しっかりと一つになっている。そんな人間同士の関係に見えた。

「蓮さん、新しい社章、記念に一個シュウメイにあげれば？」

「持ってきてないぞ」

「いいじゃん、いまつけてるやつで。会社にあるのを蓮さんのにすれば」

蓮介はスーツの襟から社章を外してシュウメイに差し出した。シュウメイが遠慮がちにそれを受け取ろうとしたとき、先ほどからばたばたと走り回っていた白人の兄妹が、蓮介の脇をつづけざまに駆け抜けていった。あとを走る妹のほうが、蓮介の腰に小さな肩をぶつけた。転びはしなかったが、手から社章が床に落ちた。

遠くから、ブッシュ前大統領そっくりの父親が英語で謝罪しながら駆け寄ってくる。

転がった社章を弥生は追いかけて拾い、シュウメイに渡そうとして振り返った。白人の兄妹は父親に首根っこを摑《つか》まれて叱《しか》られている。父親はその場にいた面々にもう一度英語で謝ると、中腰になったままの弥生のほうへ子供たちを連れてきて、また謝らせた。兄のほうはむすっとしていたが、妹のほうがいまにも泣き出しそうに顔を歪《ゆが》めていたので、弥生は思わず拾った社章を彼女の顔の前に差し出した。何かしら、という目で、少女は弥生の指先を見た。

「ホワット・ドゥ・ユー・シンク・ディス・イズ?」

この子の国にも、アメンボはいるだろうか——そんなことを思いながら、ためしに訊いてみた。少女は不思議そうな顔で、しばらくレゴリスの社章に見入っていたが、やがて顔を上げて言った。

「Four hearts?」

「……ん?」

弥生は首を突き出して訊き返した。少女は自信なさげに、恥ずかしがりながら言い直した。

「Aren't they four hearts?」

「フォー・ハーツ?」

レゴリスの社章を自分のほうへ向け、弥生はじっと眺めた。この図案のいったいどこに、四つのハートがあるというのか。

しばらく見ていたら、ふっと見えた。

「ほんとだ！」

思わず声を上げた。本当にあった。四角く並んだ四つの○——よく見ると、これは四つのハートが互いに重なり合った図なのだった。

「姉ちゃん、なに一人で叫んでんだよ、もうシュウメイさん時間だよ」

「あ、うん」

急いで立ち上がり、弥生はシュウメイに社章を渡した。たったいま少女に教えてもらったことを教えてあげようかと思ったが、もうその時間はなさそうだ。

「再見《ツァイチエン》」

蓮介がシュウメイに片手を差し出した。

「さようなら」

日本語で答え、シュウメイはその手を握り返した。それから彼女は、風見、弥生、亮とそれぞれ握手を交わした。そして深々と頭を下げると、上海行きの飛行機に乗り込むため搭乗口に入っていった。

彼女の姿が人混みに消えてからも、みんな長いことそちらを見ていた。亮は握手した右手を自分の胸に押し当てながら、最後にシュウメイとあまり言葉を交わせなかったと、泣きそうな顔で呟《つぶや》いた。風見がその肩に手を載せ、今日は酒をおごるよと、それほど同情してもいないような言い方で慰めた。

蓮介は社章を外したスーツの襟を、どこか落ち着かなげにいじっていた。

あとがき

僕が以前に新潮社で書いた小説を読んで、フジテレビの後藤博幸プロデューサーは、「この人、映像業界の人間にできないことができるのではないか」なんて思ってくれたそうです。ありがたいことです。そして後藤さんは新潮社経由で僕に声をかけてくれ、『月の恋人』の企画がスタートしました。

小説家が書き下ろしでストーリーをつくり、それをもとに連ドラを制作、そのドラマの放映とほぼ同時期に原作本を刊行する——などという話はそれまで聞いたことがなかったので、じつは「大丈夫かよ」と思っておったのですが、どうにかうまくいってくれてホッとしたのを憶《おぼ》えています。

舞台となる場所、登場人物や、彼らの背景にあるもの、あるいはストーリー自体に対してテレビ局側からの様々な希望や制約があり、なかなか大変な仕事ではありましたが、この小説はそういったものがなければ絶対に生まれてこなかったでしょう。もし何でも自由に書いていいと言われていたら、きっとまったく別のものが出来上がっていたはずです。そもそも僕はいつも「映像化できないこと」を前提に小説を書いているので、映像化できることを前提に書くというだけでも初体験でした。だからこそ、普段と違う物語のカラーを自分自身で楽しみながら書けましたし、読み返すときは、まるで誰か別の作家の小説でも読んでいるように素直に物語を楽しめました。楽しさが二倍になって、非常に得をした気分です。

ところで、ドラマ制作の過程でいろいろと都合が生じ、最終的にこの本とドラマ版はかなり内容の違うものとなりました。とくにヒロインの人物像が大きく異なっていますが、これはどちらが本当というわけではありません。読者の皆様や視聴者の皆様には、同じタイトルの二つの物語として、二倍楽しんでいただければと思っています。『月の恋人 ~Ｍｏｏｎ Ｌｏｖｅｒｓ~』というのはドラマ制作者側の命名ですが、この本も同じタイトルに統一しました。

道尾秀介